獻給阿洛、阿爾比和我友善的大巨人——
全世界我最喜愛的3個人。
送上我全部的愛，
M xxx

新雅・知識館

好奇心大滿足：

世界孩子最想知366問

作　　者：莫莉・奧德菲爾德（Molly Oldfield）
繪　　圖：Ladybird Books Ltd
翻　　譯：羅睿琪
責任編輯：張斐然
美術設計：張思婷
出　　版：新雅文化事業有限公司
　　　　　香港英皇道499號北角工業大廈18樓
　　　　　電話：（852）2138 7998
　　　　　傳真：（852）2597 4003
　　　　　網址：http://www.sunya.com.hk
　　　　　電郵：marketing@sunya.com.hk
發　　行：香港聯合書刊物流有限公司
　　　　　香港荃灣德士古道220-248號荃灣工業中心16樓
　　　　　電話：（852）2150 2100
　　　　　傳真：（852）2407 3062
　　　　　電郵：info@suplogistics.com.hk
版　　次：二〇二二年三月初版
　　　　　二〇二二年十一月第二次印刷

好奇心大滿足：
世界孩子
最想知 366 問

莫莉・奧德菲爾德　著

新雅文化事業有限公司
www.sunya.com.hk

致小讀者

在你展開閱讀之旅，探索這本書中的問題之前，別忘了看看下面的小提示。

這本書中有些問題的答案是依據事實資料得來的，有些來自於作者或專家的個人觀點，也有部分問題的答案可能混合了資料與觀點。資料的特別之處在於它有時可能會改變。比如說，冥王星曾經被稱為行星。但在2006年，科學家決定將冥王星列為矮行星。因此，假如你讀了一本2006年之前出版的圖書，如果它沒有更新資料，書中將冥王星稱為行星的內容便是錯誤的，儘管撰寫這些內容的時候它是正確的。

就算是成年人，有時候也可能會對事情有誤解，也會常常修正自己的看法，因為學無止境。作者和專家的觀點是他們的個人看法，而他們已小心地考證了書中資料的準確性，並相信這些資料在2021年2月本書原版英文版首次印刷時都是正確的。不過，如果你想在其他地方運用書中的資料，你可能需要再查證一下資料有沒有更新，或許也可以向成人請教。這本書的創作人及出版社並不會為使用或誤用書中資料所產生的問題負上任何責任。記着，以後做學問時，也要時刻保持尋根究底的精神啊！

現在，就開啟你的夢幻之旅吧。

從你喜歡的月份開始探索吧！

作者的話

　　這本美好的書《好奇心大滿足：世界孩子最想知366問》始於網絡廣播節目 *Everything Under the Sun*。在這個節目裏，小朋友會發來提問的錄音。每一次，我都會挑選其中3個問題好好作答。有時，還會有相關的專家來協助作答。

　　每天早上，我打開我的電郵信箱，看看世界各地的小朋友又發來了哪些問題，他們會對任何事物發問：**藍鯨能夠和殺人鯨聊天嗎？長頸鹿會發出什麼聲音？最大的恐龍是哪一種？大海裏有多少塑膠？誰是最早期的藝術家？誰是家庭中的第一個成員？**這種開展新一天的方式令人非常愉快。

　　我希望以圖書的形式分享我在網絡廣播中感受到的樂趣，因此這本書便誕生了！《好奇心大滿足：世界孩子最想知366問》回答了來自小朋友的366個問題——每一個問題都是由小朋友自己提出的。每個問題對應一年裏的一天，再為閏年額外回答一個問題。

這本書是對我們的世界以及地球以外許多事物的美好讚頌。

來跟繪本藝術家與說故事高手奧利弗・杰弗斯（Oliver Jeffers）學習，找出人類為何要創作藝術吧；跟名廚赫斯頓・布魯門撒爾（Heston Blumenthal）共同研究，為什麼我們感冒時食物的味道會變得不一樣；再和年輕的環境保育先鋒貝拉・拉克（Bella Lack）一起了解一下樹木為什麼如此重要吧。

書中的每一頁都載滿了兒童的好奇心與想像力，我希望你會喜歡。我期望這本書對家長、教師、祖父母，還有其他在生活中被小朋友的提問轟炸的人，或者本身也擁有好奇心的人都能有所幫助。

願你的好奇心能帶領你到達精彩的地方！

莫莉・奧德菲爾德
（Molly Oldfield）

一月

一月

1
藍鯨能夠跟殺人鯨聊天嗎？

你知道殺人鯨其實並不是鯨魚嗎？牠們其實是海豚家族中體形最大的成員。殺人鯨這個令人混淆的名字是源自一個誤會呢！在數百年前，有一個海員看見牠們襲擊鯨魚，便將牠們稱為「鯨魚殺手」(whale killer)，之後又誤傳成了「殺人鯨」(killer whale)。如今，牠們的英文名字常被稱為「orca」(虎鯨)，這個英文名便沒那麼容易令人混淆了吧！

就像其他海豚一樣，虎鯨會利用口哨聲、滴答聲和呼叫聲來彼此交談。藍鯨的歌聲則非常嘹亮、深沉，能夠在水中傳遞數千公里。虎鯨和藍鯨的聲音相當不同，因此很難想象牠們會和對方聊天。那大概就像你在和一隻綿羊對話！

　　虎鯨和藍鯨生活在世界各地的
海洋中，牠們的每一個族羣都擁有
自己的語言。藍鯨在出行的途中，
可能在冰島附近遇上「説」某一種
語言的虎鯨，再在南極遇上另一羣
「説」完全不同語言的虎鯨！

2
兒歌中爬水管的小蜘蛛想要做什麼？

在兒歌 *Incy Wincy Spider* 中，小蜘蛛想要爬到水管上！可大雨降下，小蜘蛛便被雨水沖走了。牠們要等到雨水乾透，陽光再次照耀時才能再次爬上水管。兒歌裏的小蜘蛛是一種家隅蛛（house spider），當天氣開始變冷或下雨時，牠們便要住進舒服又溫暖的室內。你也許會在浴缸裏發現家隅蛛，但牠們大多不會從排水孔裏爬出來。牠們只是不小心掉進浴缸裏，因為浴缸太滑了，牠們根本爬不出來！

有時候雌性蜘蛛會在房子裏面產卵，能夠孵化出大約60隻蜘蛛寶寶。不過一般情況下雌性蜘蛛都會選擇在屋外的磚塊或石頭周邊產卵。

3
如果蜘蛛會發出聲音，那會是怎樣的聲音？

你大概無法聽見蜘蛛說話，但有些蜘蛛確實會發出聲音！蜘蛛能發出嘶嘶聲、呼嚕聲和嗡嗡聲。蜘蛛身體上毛茸茸的剛毛互相磨擦可以發出呼嚕聲和嗡嗡聲。為了吸引雌性，雄性狼蛛（wolf spider）會在森林裏唱歌，他們用身體的一部分敲打地上的樹葉，發出某種低沉的隆隆聲。蜘蛛沒有耳朵，但牠們仍能聽見！牠們多毛的腿能夠透過振動，幫助牠們偵測聲音。

4
為什麼我們會噴出大蒜味的口氣，但不會噴出麵條味或蘋果味的口氣？

大蒜充滿了稱為硫化物的化學物質。當你進食大蒜時，硫化物會進入你的血液。這對你的血液來說非常健康，但對你的口氣來說卻不太妙！大蒜裏的硫化物會隨着血液在你的身體裏到處穿梭，而它們抵達肺部後，你便會呼出一些硫化物的氣味。你無法靠刷牙來消除這種氣味，因為大蒜的化學物質存在於你的血液裏，而不是你的嘴巴中。你不會呼出麵條味或蘋果味的口氣，是因為麵條或蘋果裏沒有大蒜那種臭氣薰人的硫化物。

5

史上第一隻恐龍是哪一隻？

與大衛・巴頓博士一同作答

據我們所知最原始的恐龍生活在南半球，就是赤道綫的南面。這些恐龍包括大約在2.3億年前生活在阿根廷的始盜龍（Eoraptor）；約2.3億年前存活於巴西及津巴布韋的農神龍（Saturnalia）；以及約2.43億年前居住在坦桑尼亞的尼亞薩龍（Nyasasaurus）。

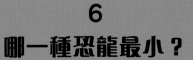

6

哪一種恐龍最小？

科學家曾經在一片琥珀中發現類似鳥類的恐龍化石，那可能是有史以來最小的恐龍。這隻恐龍重量大概只有2克——就跟蜜蜂、蜂鳥相同。按照恐龍的種類來分：最小的速龍是小速龍（Microraptor），牠的大小像一隻鴿子，會進食小型哺乳類動物、昆蟲、鳥類和魚類；最小的暴龍是帝龍（Dilong），它存活的時間較霸王龍（Tyrannosaurus rex）早6,000萬年，重量只有11公斤——大約與一隻臘腸犬相同！

7

哪一種恐龍最大？

與保羅・巴雷特教授一同作答

這個問題曾經引起過一些爭論，有好幾個挑戰者有力競逐這個頭銜呢！其中最惹人注目的選手就是阿根廷龍（Argentinosaurus），牠們可能重達70,000公斤。重量大約等同於12頭發育完全的雄性非洲象！不過世界上還曾有很多其他大恐龍，例如無畏龍（Dreadnoughtus）及巴塔哥巨龍（Patagotitan）。牠們至少重60,000公斤！

8
世界上總共有
多少種動物？

與尼克·克倫普頓博士一同作答

這個問題難以計算，而且科學家仍在發現新的物種。不過我們認為世上大約有1,000萬至1億個動物品種。

其實就算你想統計你家附近的昆蟲，也非常困難！地球上大約有超過500萬種昆蟲，不過只有大約100萬種已被發現。也許有朝一日你會成為發現昆蟲新品種的科學家呢！

9
為什麼狒狒
有光禿禿的屁股？

覆蓋着狒狒屁股的皮膚墊子被稱為坐胼胝（ischial callosity）。它們就像一個流動坐墊，好讓狒狒能夠舒舒服服地坐下來。狒狒甚至能夠坐着睡覺，全靠牠們的屁股！

10
為什麼巨人柱有手臂？

巨人柱（saguaro）是一種仙人掌。它們生長得非常非常非常緩慢！它們一般在70至100歲之間才開始長出手臂。有些會長出多達25根手臂，而有些則一根手臂都沒有。這些手臂可能讓更多花朵生長，繁殖更多巨人柱寶寶！它們的花朵綻放的時間很短，只有一個晚上，而這些花朵的氣味就像蜜瓜！

11
我們的身體如何製造出耳垢？

我們的耳朵裏有一些被稱為腺體（gland）的小部位，負責製造耳垢。耳垢是在耳朵內部生成的，它們慢慢向着耳朵口移動，有時會自己掉出來。耳垢能滋潤你的耳朵，阻止耳朵受感染，還能清除耳朵裏的塵埃與污垢。

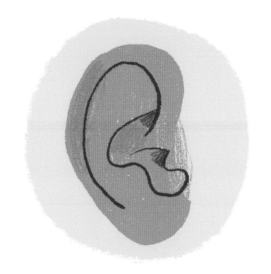

12
為什麼下雨時會看見很多蝸牛？

與喬納森・阿布利特一同作答

大部分蝸牛都是夜行性的，牠們只會在晚間出沒，不過有時候如果下雨了，蝸牛也會在白天跑出來。蝸牛這樣做是為了保持皮膚濕潤，避免自己變乾，因為牠們製造黏液時會消耗掉大量水分。當天氣炎熱又乾燥時，蝸牛常常會躲藏在自己的硬殼裏以保持濕潤。有些蝸牛還會分泌出黏稠的黏液堵住自己的殼，以免損失太多水分。

13
我們是如何長大的？

小孩子和植物有點兒相似！他們需要水、食物、新鮮空氣和温暖的環境才能成長。還要許多擁抱和樂趣！在我們的身體裏，有一些稱為荷爾蒙的化學物質，它們會向我們的肌肉、骨頭、關節、心臟、肺部及能量系統傳送信息，令我們的身體成長。

14

為什麼青蛙會跳到睡蓮上？

青蛙雖然生活在陸地上，但通常會在有水的地方出沒，因為那兒有許多昆蟲可以讓青蛙大吃特吃。睡蓮生長在水中，因此它們對青蛙來說是個休息的好地方。睡蓮的葉子邊緣是翹起來的，即使青蛙坐在上面，也能讓葉子浮在水上！有時青蛙能在睡蓮的葉子上坐幾個小時，然後突然躍起以捕捉昆蟲。

15

青蛙能夠潛入水中多久？

青蛙寶寶稱為蝌蚪，當牠們還是蝌蚪時，牠們能在水中呼吸，因為牠們有鰓，不過當蝌蚪變成青蛙時，牠的鰓就消失了。不過，大部分青蛙能靠皮膚呼吸，所以牠們可以在水中停留一段時間。

的的喀喀湖蛙（Titicaca water frog）的皮膚有許多皺褶，這代表牠有更多的皮膚來吸入氧氣。牠能夠想在水中停留多久便多久——甚至可以一輩子住在水裏！

16
世界上有多少人？

人口的數字一直都在增加！1804年，世界上有10億人，到1927年增加到20億人，1974年有40億人。到了大約2023年，世界上可能有80億人，而到了2100年更可能增加到110億人！問這個問題時（2019年），世界上大約有77億人。

17
世界上女孩子多
還是男孩子多？

每年出生的男孩子都稍微比女孩子多一點。每100個女孩子出生，便有大約105個男孩子出生。

為什麼會這樣？有人認為在歷史上，男孩子必須承受更多的風險，常常需要面對險境，這意味着他們不太可能活得像女孩子一樣久。因此，為了有足夠的成年男性，大自然便選擇讓更多男孩子出生。專家未敢確定這個說法的準確度，不過它是個廣被接納的理論。

無論是女孩子，還是男孩子，他們都有權利選擇自己喜歡的生活和職業啊！

18

美洲豹和花豹有什麼不同？

美洲豹（jaguar）和花豹（leopard）生活在不同的大陸上。美洲豹只能在中美洲及南美洲出沒，而花豹則會在中國、俄羅斯部分地區及印度出沒。雖然牠們的外貌很相似，不過我們也有一些方法去分辨出美洲豹和花豹。美洲豹的肌肉比花豹更為發達，有較寬闊的頭部和更強壯的頜部。花豹爬樹時比美洲豹敏捷靈活得多，牠們的尾巴較長，能夠幫助牠們保持平衡。

花豹會咬噬獵物的喉嚨或嘴巴，將獵物殺死。美洲豹則會咬穿獵物的頭或背令獵物喪命。真痛呀！

19

斑馬會發出什麼聲音？

斑馬會吠叫，聽起來就像高音的狗吠聲。牠們也會像驢子一樣呼叫，開始時聲音較低沉，結尾則是像豬一般的尖叫聲！雄性斑馬用嘶叫來吸引雌性，或者當牠們生氣時也會嘶叫。斑馬也會從鼻子和嘴唇間噴氣，發出嘶叫（nicker）的聲音。

試試在你的嘴唇之間噴氣，令嘴唇振動起來。噗嚕嚕嚕嚕！那聽起來就是嘶叫！

20
為什麼老虎身上有條紋？

老虎擁有條紋，其他動物就難以看見牠們。這些條紋會破壞老虎身體輪廓的線條，讓老虎在草叢中悄悄靠近時看起來就像影子一樣。這在月夜中特別有用，老虎最喜歡在月夜外出狩獵，因為夜晚涼爽多了。如果老虎失去了牠毛茸茸的大衣，毛皮下面的皮膚看起來也會像原本的毛皮一樣佈滿條紋！較深色的毛髮會在老虎的皮膚上形成圖案。

老虎的條紋就像指紋一樣——沒有任何兩隻老虎擁有相同的條紋圖案。

21
花豹的斑點是不是
永遠不會改變？

花豹的斑點其實會有所變化！花豹寶寶成長為成年花豹時，牠們的寶寶斑點會變成更成熟的圖案類型，稱為玫瑰紋（rosette marking），看起來有點像玫瑰。

1952年，數學家艾倫·圖靈（Alan Turning）構想出一條數學方程式來解釋不同的動物如何獲得牠們的斑點、條紋和螺旋紋，但他無法解釋大型貓科動物的幼獸身上的圖案如何變成成年後的圖案。

22
頭髮是由什麼物質組成的？

頭髮是由一種稱為角蛋白（keratin）的物質組成的。頭髮最初在你的皮膚下稱為毛囊（follicle）的部位生長，這時它仍是活的，不過一旦它長到毛囊以外便會死掉。那就是為什麼當你剪頭髮時不會覺得痛。頭髮可以在頭上生長7年，但最終都會脫落。我們每天會失去大約50至100根頭髮，不過它們會被新頭髮取代，因此我們不會留意到！

23
要令我的頭髮變成長髮公主
那樣需要多長時間？

與利諾・卡爾博謝羅一同作答

頭髮平均每個月生長1厘米。長髮公主的頭髮大約有21米長。因此你需要大約175年才能讓頭髮長得像長髮公主的頭髮一樣長！世界上最長頭髮的紀錄保持者屬於一位中國女性，她用31年讓頭髮生長至5.627米長！她頭髮的長度於2004年寫進了健力士世界紀錄大全裏，因此這把頭髮如今也許已變得更長！

24
單車是如何移動的？

由瑪麗亞・波波娃作答

　　單車是金屬與橡膠的完美結合，讓人們能輕鬆地對抗重力。它是在19世紀由一名年輕的德國男人創造的，他當時希望靠發明來幫助自己的國家，因為饑荒令當地的馬匹無力接載乘客。他製造了一部有金屬輪胎的木製新奇機器，稱之為「跑步機」。這部機器沒有腳踏——你要用雙腳推動它離開地面，就像你學習騎乘現代的單車時一樣。他的趣怪機器慢慢改進，其他人又幫它加上腳踏，然後再加上一條鏈條，將腳踏的動力傳送到車輪，接下來換上充氣橡膠輪胎，令乘坐時更平穩，再加上齒輪令它能跑得更快。直到如今，你能坐上那個小小的三角形軟墊座位，踏下腳踏，歡快地在街道上滑行。不過，歸根究底，單車的運作就像人生一樣，它能到達什麼地方，取決於你的目的地是哪裏，以及你有多努力去推動它行進。

25
顏料是由什麼製成的？
與伊莎貝爾·蘭姆一同作答

我們身邊有許多不同種類的顏料。你也許曾在畫廊裏的圖畫上見過不同的顏料，或是在家中或學校用不同顏料繪畫。

顏料的成分隨時間的改變已經歷許多變化。如今大部分顏料都是由色素（顏色）與黏合劑（令顏料固定在一起的膠水）製成的。黏合劑的種類包括油畫顏料採用的亞麻籽油，水彩採用的阿拉伯膠（gum arabic），丙烯酸顏料（acrylic paint，又稱塑膠彩）採用的丙烯酸樹脂（acrylic resin），還有用於製作舊式顏料蛋彩（egg tempera）的蛋黃等。

阿拉伯膠是由蘇丹的一種相思樹製成的；亞麻籽油來自亞麻；蛋黃是蛋中央的黃色部分；而丙烯酸樹脂是由化學物質製成的。

有些顏料的色彩如今已不再被人使用了，例如骨螺紫（Tyrian purple），那是由海螺的糞便製成的！人們認為龍血色（dragon's blood）是龍和大象的血液混合，不過它其實來自索科特拉龍血樹（Dracaena cinnabari）的樹液。木乃伊棕（mummy brown）是由磨碎的埃及木乃伊製成的，而謝勒綠（Scheele's green）是由有毒的化學物質砷（arsenic）製成的。它可能導致法國皇帝拿破崙（Napoleon）的死亡，因為他睡房的牆紙正是採用了這種鮮明的綠！

26
怎樣製作顏料？

與皮帕·斯莫爾一起作答

　　有一種製作顏料的方法，是從地上撿取有顏色的石頭，並將它們磨碎。例如，一種稱為青金石（lapis lazuli）的石頭，它擁有夏季晚空的藍色，有時會帶有一絲絲的金色紋理，常被製作成顏料。阿富汗開採青金石已有數千年歷史。在古埃及，女王克萊奧帕特拉（Cleopatra 又稱埃及妖后）會開採青金石製作眼影。數千年後，青金石則被開採來為著名畫家製作最貴重的顏料，例如文藝復興時期的意大利藝術大師達文西（Leonardo da Vinci）。

27
吃芝士會令你做噩夢嗎？

英國芝士委員會（Britiish Cheese Board）決定研究吃芝士會否令人做噩夢。他們邀請了200人享用芝士，然後去睡覺。當中大約75%的測試者說自己沒有做噩夢，不過實驗中進食不同種類的芝士似乎確實能令人做不同種類的夢。吃斯蒂爾頓芝士（Stilton）的人會做奇怪的夢，吃車打芝士（Cheddar）的人會夢見著名人物，吃蘭開夏芝士（Lancashire cheese）的人會做關於工作的夢，而吃柴郡芝士（Cheshire cheese）的人都記不起自己做過什麼夢！

28
腳趾有什麼用處？

我們的腳趾能夠幫我們行走。當你走路時，你的腳跟——腳掌上非常堅硬、強韌的部分——會首先着地。接着，當你走完一整步時，腳掌的底部會接觸地面。這個部分充滿了肌肉，能幫助你提起腳跟，將你向前推，並用腳趾站立。最後，你的腳趾會推動你邁出下一步。

29
為什麼人類需要腳趾甲？

腳趾甲能保護我們的腳趾頂部也能保護在它們下方的血管網絡、肌肉和皮膚安全——就像腳趾的盔甲一樣！

30
我們的太陽系中最初
出現的行星是哪一個？

木星！

大約46億年前，我們的太陽系誕生了。太陽首先形成，接着是各個行星，第一個就是木星。木星非常龐大——比其他所有行星加起來還要大！

31
木星上的風暴肆虐了多久？

如果你夠幸運，你有時會在夜空中看見木星閃耀。但你無法用肉眼看見木星上稱為大紅斑的巨大風暴。

人類在1830年第一次觀察大紅斑，不過17世紀的科學家就曾記載木星上有一個巨大的斑點，因此這場風暴可能已經持續呼嘯了350多年！然而，大紅斑如今已開始縮小，科學家認為這場風暴可能在20年內靜止下來。

二月

二月

1

企鵝如何找到回家的路？

與亞歷克斯·邦德一起作答

企鵝到了自立成家的年紀，便會回到牠們出生的地方。牠們每年都會返回出生地，有時也會前往相同的地洞或是築巢區。企鵝會利用不同的感官來找到回家的路。包括企鵝在內的鳥類都能夠藉由感知地球上的自然規律找到自己的方向。就像指南針會指向北方一樣，我們認為企鵝能夠利用地球周圍稱為磁場的隱形圖案來找到回家的路。當牠們離家很近時，牠們便會用嗅覺和視覺找到牠們各自的巢穴。

2

為什麼企鵝不會飛？

與蘇濟·海德一起作答

企鵝不會飛的原因有幾個。首先，牠們的骨骼太粗壯了，就像你和我一樣。會飛的鳥類骨骼有蜂巢狀的結構，更輕盈，能輕易離開地面。但企鵝的骨骼既堅硬又粗壯，以幫助牠們快速地潛入水中游泳。其次，企鵝沒有適合飛行的翅膀，企鵝的翅膀已經演化成鰭肢。比起在天空翱翔，企鵝則選擇在水中遨游。

3
為什麼企鵝寶寶長大後會更換羽毛？

　　大部分企鵝寶寶孵化時都有柔軟、蓬鬆的棕色或灰色羽毛。這些羽毛能讓企鵝幼雛保持溫暖。當企鵝寶寶還小時，牠們不需要防水的羽毛，因為牠們的父母會餵牠們吃魚，不需要牠們自己捕魚。不過當企鵝寶寶長大至能照顧自己時，牠們的父母便會離開，企鵝要回到海裏，在那兒牠們需要防水的羽毛。企鵝寶寶會將牠們毛茸茸的羽毛，替換成黑色與白色的成羽，這些新羽毛下方有保暖層，而上方有防水層，好讓企鵝寶寶能夠游泳和捕魚！

4
為什麼波蘭是唯一
一個擁有沙漠的中歐國家？

在一個遍布森林與湖泊的國家，沙漠是非常突兀的東西。它在那裏出現的原因是什麼？當然是人類！在13世紀，人們為了挖掘地下的銀和鉛來致富，大量砍伐森林。樹木下方是一層沙子，沙子很可能是融化的冰川水流經時留下來的。當樹木消失了，森林便成了沙漠。

有些人認為應該讓綠色植物覆蓋沙漠。其他人則希望保留沙漠，因為他們認為這個沙漠已成為波蘭獨特的一部分。

5
我們怎樣才能
阻止人們砍伐樹木？

與喬治娜‧史蒂文斯一起作答

人們砍伐樹木常常是為了開墾和興建。在我們的城市裏，人們砍伐樹木以騰出空間來興建更多建築物。不過在許多國家，私自砍樹是不被允許的，如果有人計劃砍樹，便必須通知相關的機構。因此，如果你發現附近某些樹木將會被砍掉，何不傳電郵給當地政府，看看能否拯救它們？

有時砍樹是為了開闢土地來飼養牛隻、種植製作棕櫚油、咖啡和朱古力的植物，或是製作紙張和木製品。一些減少樹木遭砍伐的好方法有：減少吃肉，購買不含棕櫚油的產品，以及愛惜所有紙張──例如使用紙張的兩面，還可以收集廢紙來創作藝術品！

世上記載的最古老的笑話正是與放屁相關！我們不知道是誰先說出這個笑話的，不過我們知道這個笑話源自蘇美爾文明，大約有4000年歷史。

6
誰是第一個喜劇演員？
與丹．施賴伯一起作答

小丑和弄臣大概是喜劇演員最早期的例子。生活在19世紀的男性約瑟夫．格里馬爾迪（Joseph Grimaldi）因成為首批現代小丑之一而聞名。不過，遠在格里馬爾迪之前還有許多人可被稱為喜劇演員。例如，在中國古代，史書上記載了不少極為出名的優人和他們誇張的事跡。包括優旃、石動筩和敬新磨。還有英國的弄臣「傻子簡」（Jane Foole），她曾在瑪麗女王統治期間侍奉宮廷。還有另一名稱為「放屁者羅蘭」（Roland the Farter）的弄臣，他曾在12世紀時邊吹口哨邊跳到半空，還同時放屁，惹得英王亨利二世捧腹大笑。羅蘭的技藝太出眾，連亨利二世都賜予他一間大屋及30英畝土地作獎賞呢。

我們大概永遠不會知道誰是第一個喜劇演員，不過我們應該感謝喜劇演員持續不斷地引人發笑。何不試試自己創作幾個笑話？

7
什麼是原子？

原子是構成所有事物的微細基礎要素。原子由原子核構成，當中含有質子和中子，還有稱為電子的細小物質圍繞着原子核旋轉。即使原子非常微小，但原子內部卻空蕩蕩的。世界上的萬事萬物都是由物質構成的，而物質是由原子組成。原子的英文名稱atom原是希臘語，意思是不可分割的，因為我們曾經認為原子無法分割成更小的部分。但如今我們知道原子還可以分割得更小！

單單一個句號裏便可能容納1000萬顆原子！

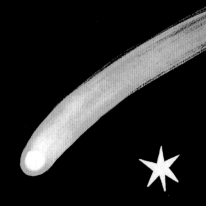

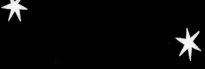

8
恆星是如何形成的？
與斯圖爾特‧阿特金森一同作答

恆星就像人類一樣——它們出生，成長，然後死亡。星星有不同大小、顏色與溫度，不過所有的恆星最初都是巨大的一團團塵埃與氣體。經過數億年的時間，這團雲狀物會縮小並旋轉，變得越來越熱。最後，雲狀物中心的壓力和熱力變得極高，引發稱為核反應的現象，新的恆星便隨之爆發出新生命！

9
元素從何而來？
與羅布・布萊克一同作答

宇宙是由一場稱為大爆炸（Big Bang）的大規模爆炸所創造的，爆炸過程中產生了4種元素：氫（hydrogen）、氦（helium）、鋰（lithium）和鈹（beryllium）。其他的元素則是從恆星而來！恆星的中心非常熾熱，氫原子會融合在一起，產生氦原子。隨着恆星變老，它開始產生出其他元素，例如碳（carbon）、氖（neon）、氧（oxygen）、矽（silicon）及鐵（iron）。非常巨大的恆星會在稱為超新星（supernova）的大型爆炸中死亡，並釋出足以製造其他所有元素的能量。爆炸也會令元素散布至更遠的地方。那就是為什麼當地球形成時，它已含有現今包圍着我們的元素。也就是說，你也是由星星的一部分組成的！

10
為什麼行星擁有核心？
與蓋伊・孔索爾馬尼奧修士一同作答

大部分行星都是在恆星附近，由構成恆星時餘下的氣體和塵埃所組成的。這些冰塊、岩石和金屬全都混成一塊，像雪球般不斷變大。不過當這塊東西變得足夠大，它便能令內部融化——接着較重的東西，例如金屬，便會沉到中央，形成行星的核心。較輕的物質，例如水，便會留在行星的表面。

11
樹木怎樣冒出嫩芽？

與杰斯・埃文斯一同作答

樹木上一些稱為細胞的微小部分在成長時能夠發生變化。植物裏部分細胞可能變成葉子，其他細胞可能發育成嫩芽。但嫩芽是否能生出新的枝條或是花朵，取決於植物的品種，季節，以及植物在哪裏生長。

12
激光有多熱？

激光是由大量光子組成的，它們沒有任何溫度！不過光子確實會令它們撞上的東西變熱許多。2012年，科學家利用世界上最強力的激光射擊一片鋁，而那片鋁一瞬間被加熱至2,000,000℃，成為了地球上出現過最高的溫度。

13
為什麼人類會眨眼？

眨眼可以清潔我們的眼睛——就像汽車去洗車場一樣，但眨眼更快！眨眼一次需時大約十分之一秒，而我們每天都會不斷眨眼，眨眼時無需多加思考。每次你眨眼時，你的眼瞼便會將油脂和黏液塗滿你的眼球，好讓你的眼睛不會在空氣中變乾。眨眼也能清除你眼睛裏的灰塵，還能在強光中保護眼睛。

14
史上體形最大的
動物是什麼？

藍鯨是地球上存活過的動物中體形最大的。牠的重量等同於28隻非洲草原象，也幾乎是最重的恐龍體重的兩倍！到藍鯨成年的時候，牠的心臟差不多與一輛電單車的大小相同，你甚至可以將人類的腦袋塞進連接牠心臟的血管裏！

15
企鵝怎樣大便？

企鵝不喜歡在牠們的巢穴裏大便，因此部分企鵝，例如阿德利企鵝和南極企鵝會站在自己的巢穴邊緣，並將糞便噴射出去。牠們能將糞便噴到大約40厘米以外！

16
如果你放走一個氦氣球，
它會不會一路穿過
大氣層飄進太空？

很可惜，不會。氦氣球會在地球上空大約10公里處破裂。當氦氣球上升時，氣球裏的氦氣會膨脹起來，而氣球外面的氣壓不斷下降。這會令氣球「砰」的一聲爆開！

17
蝴蝶有骨頭嗎？

蝴蝶沒有骨頭，不過牠們確實擁有骨骼——就在牠們身體的外面！這被稱為外骨骼（exoskeleton），能保護牠們柔軟的身體。外骨骼不是由骨頭組成，而是由稱為甲殼素（chitin）的物質形成。蝴蝶肚子上的外骨骼很厚實，由10片互相連結的硬殼組成，就像盔甲一樣。蝴蝶翅膀上的甲殼素非常輕薄，令蝴蝶仍然能夠飛行——這種外骨骼薄得像塵埃一般！蝴蝶的頭部也有硬殼，就像我們有頭骨一樣，用來保護腦部。

18
用來興建房屋的磚塊是從哪裏來的？

我們相信磚塊是在公元前7,000年左右發明的。最古老的磚塊是在土耳其以及巴勒斯坦的耶利哥城附近被發現。這些磚塊是由泥土製成，在陽光下曬乾。在古希臘，磚塊是由黏土混合稻草製成的。古羅馬人會用紅色或白色的陶土製作磚塊，並用可攜式烤箱將磚塊烤硬。以前磚塊是以人手製成的，直至1850年代，第一部磚塊生產機面世了，它能在一天裏生產數以千計的磚塊！

19
為什麼狗會被人類馴服？

狗有不同的外形與大小，許多都成了寵物，不過原來牠們的祖先都是灰狼。人類大約在14,000年前開始飼養狗隻作為同伴，當時他們可能照顧了被遺棄的幼狼。久而久之，這些狼逐漸減少了攻擊性，變得更為順從。人類認為狗是人類的好幫手，因為牠們能幫助放牧、狩獵和保衛家園。作為回報，狗也能得到食物和家，還可以和人類一起玩！

20
狗能跑得有多快？

格力犬（Greyhound）是跑得最快的狗隻品種——牠們跑步的速度高達每小時72.4公里。這比世上最快的跑手保特（Usain Bolt）更快。杰克羅素（Jack Russell）在小型犬中能跑得非常快，但是八哥犬（pug）和鬥牛犬（bulldog）跑得慢些，因為牠們不能快速地吸氣。跑得最慢的大概是巴吉度獵犬（basset hound），牠們每小時只能跑8至16公里。不過，不論牠們是否擅長跑步，所有狗狗都需要大量愉快的散步時間！

21
為什麼人類會說不同的語言？

Hello!
（英語）

今天，地球上人類會說的語言有大約7,000種。

研究語言的語言學家不知道人類確切是在什麼時候開始用文字代替發聲或肢體語言，不過他們肯定人類發明了語言，好讓他們能用文字溝通。

Hola!
（西班牙語）

遷徙意即人類從一個地方移動到另一個地方，遷徙是世上有如此多語言的原因之一。

Ciao!
（意大利語）

我們認為人類最初生活在如今形成非洲大陸的土地上，然後從那兒向不同的方向遷徙。時間久了，他們的語言改變了，形成了新的語言。

你好！

人們移居到全新的、完全不同的地方——
他們會面對不同的天氣、動物、地貌和植物。
因此，他們需要新的字詞來描述周圍的事物。

所有的語言都是活的——它們會轉變及
發展，這通常取決於該語言使用者的經歷。

有些語言會死去，
例如拉丁語，不過我們
能夠從文獻中了解到這
些語言存在過。

Bonjour!
（法語）

不幸的是，如今有些語言很可能就要
消失。如今世界上會說阿伊奴語的人可能
不到10人。阿伊奴語是居於日本北海道的
阿伊奴人所說的語言。

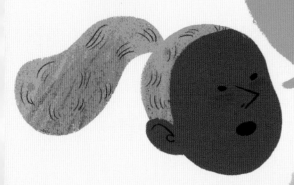

Guten
Tag!
（德語）

22
為什麼昆蟲會受
黃色的衣物吸引？

昆蟲喜歡黃色的衣物，因為黃色正是植物沒有足夠水分、養份或陽光時會顯現的顏色。經過數百萬年的進化，昆蟲知道了黃色的植物可能很脆弱更容易進食！這就是為什麼許多捕蟲器都是黃色的呢。

23
月球上有什麼東西？

曾在月球上漫步的太空人在月球上留下了足印，這些足印將會繼續存在數百萬年。太空人也留下了月球車、兩個高爾夫球、工具、獎牌，還有一隻載有4個美國總統與73個國家元首信息的小圓碟。這隻碟子大小就像一個大硬幣，它只能用顯微鏡閱讀。太空人也在月球上留下了幾袋糞便——噁！

參與阿波羅14號任務的太空人斯圖爾特·魯薩（Stuart Roosa）帶着數盒樹木種子來到月球。當他回到地球後，這些種子被當作禮物送到全球不同的地方栽種。它們被稱為月球樹，但它們生長得就像地球上其他的樹一樣，即使它們曾經到過月球！

24
以前的人們如何知道
人體裏面有什麼東西？

這似乎有點駭人聽聞，不過科學家會解剖屍體來察看人體裏面有什麼。然後他們會將他們的發現著書成文，讓其他人能夠從中學習，無須解剖更多屍體。研究人體的學校稱為解剖學學校，第一間解剖學學校位於埃及的亞歷山大港。它大約在公元前300年設立，而學生會解剖罪犯的屍體！

有一位世界著名的藝術家曾學習過解剖學，他就是達文西（Leonardo da Vinci）。他第一次準確畫出了人類的脊椎！

25
闌尾有什麼用處？
與基婭拉·亨特醫生一起作答

人體中，闌尾（appendix）是位於腸道末端一段幼細的管子。我們猜測它是人體的殘留部分，曾經可能作用於消化粗糙的食物。闌尾可能出現一種麻煩的疾病，稱為闌尾炎。太空人或者探險家常常會將闌尾切除掉，以免當他們在遠離醫療支援的地方患上闌尾炎。近年來，科學家發現闌尾可能比我們所想的更有用處。他們相信闌尾可能在我們的免疫系統中起到作用，幫助我們對抗感染。

26
為什麼圖坦卡門
9歲時會成為法老，
他又是怎麼去世的？

與賈斯廷·波拉德一同作答

　　圖坦卡門生活在3,300多年前，因此我們很難確切知道當時發生了什麼事。他很可能是法老阿肯那頓（Akhenaten）的兒子。阿肯那頓去世時，圖坦卡門正是法老寶座的第一順位繼承人。他當時只有9歲，因此埃及很可能是由一名成年人代表圖坦卡門施政，直至他長大可以自行管治埃及。圖坦卡門在位大約9年，而透過檢驗他的木乃伊，我們知道他曾患上瘧疾。

有些人認為在圖坦卡門死後成為了法老的顧問阿艾（Ay）可能殺死了圖坦卡門，不過大部分人都相信圖坦卡門是死於自然因素。我們從圖坦卡門的骸骨中得知，他死前不久曾嚴重地摔斷了腿，而傷口可能受到感染。當時埃及人沒有我們今天擁有的抗生素，因此類似的傷勢可能引致死亡。這次感染和他身患的瘧疾可能是導致他死亡的原因。

27
鹿是夜行動物嗎？

鹿喜歡在太陽剛升起的清晨，還有晚上太陽剛下山的時候出外探索。這種時刻稱為曙暮光（twilight），而我們將在這段時間裏活躍的動物形容為「晨昏活動型」（crepuscular），crepuscular源自拉丁文crepusculum，意思就是曙暮光。

在加拿大，鹿大多是晨昏活動，但牠們也有一點晝行性（diurnal），意思是牠們有時在白天也會出沒。

在荷蘭，鹿大多是晨昏活動和夜行（nocturnal）的，牠們也會在晚上活動。這種差異是因為在某些地方白天有許多人類在附近活動，因此鹿在晚上外出會更安全。

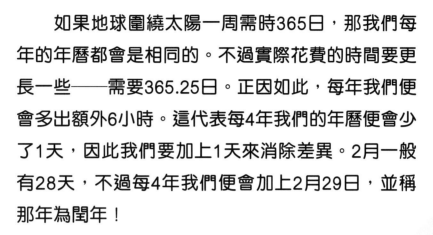

28
為什麼我們有閏年？

如果地球圍繞太陽一周需時365日，那我們每年的年曆都會是相同的。不過實際花費的時間要更長一些——需要365.25日。正因如此，每年我們便會多出額外6小時。這代表每4年我們的年曆便會少了1天，因此我們要加上1天來消除差異。2月一般有28天，不過每4年我們便會加上2月29日，並稱那年為閏年！

29
如果你在2月29日出生，
你多少歲？

如果你在2月29日出生，你可以選擇只在那一天舉辦生日派對，自稱你的歲數就跟你經歷過的閏年數目一樣。例如，2016年2月29日，美國人黛西・貝爾（Daisy Belle）舉辦了她的第25次閏年生日派對，不過她其實已活了100年！或者你可以選擇在不是閏年的年份裏的2月28日或3月1日慶祝生日呢。

全世界大約
有500萬個閏日
寶寶！

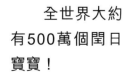

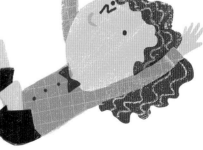

三月

三月

1
為什麼人會做夢？

由大衛‧伊格爾曼作答

有些科學家認為，做夢能讓腦部在我們真正著手做各種事情，例如爭執或是解決問題之前，先體驗一下事情的幻想版本。換句話說，做夢能讓我們有練習的機會，就像話劇的彩排一般。

關於腦部的近期發現之一，就是腦部不同的部分能夠互相取代對方。假如你失明了，腦部涉及視覺的部分將被鄰近的區域，例如觸覺或聽覺接管。這發生得非常快：假如你蒙着某個人的雙眼，並偵測腦部，你會看見視覺的區域在大約一小時內開始對觸覺和聽覺有反應。

因此，我們會做夢可能是因為這是腦部的視覺區域（被稱為視覺皮質，visual cortex）保護自己避免被其他感官奪去它的功能的方式。我們在夢中能看見影像，因為腦部會向視覺皮質輸送活動指令，令視覺皮質在漆黑一片的時刻仍保持活躍。

2
為什麼有些日子裏
你能記住你的夢境，
有些日子卻不能？

與菲莉帕·佩里一同作答

　　能否記住你的夢境要視乎你醒來的時候處於睡眠循環的哪個階段。如果你真的很睏，在睡眠循環中間醒來，你較可能會接着做夢，把夢境忘掉，只記得一點痕跡或做過夢的感覺。如果你預備好要起牀，你可能會記得的夢境內容多許多，不過你不會記得整個夢。

　　如果你忘記了你的夢境也不要緊，因為如果你的腦部真的想你留意，你會一次又一次地做那個夢，直到你有所察覺！

3
海裏有多少塑膠？

科學家相信每分鐘都有一垃圾車的塑膠被扔進我們的海洋。如果這些塑膠繼續增加，到了2050年，海裏的塑膠將會比在那裏生活的魚類更重！

數量龐大的塑膠沒有被循環再造，而是流落大海。大塊的塑膠會分解變成微塑膠，海洋就像塑膠湯一般。這些碎片永遠不會完全消失，也無法從水中舀走。在全球各地的海洋中都有巨大的塑膠堆，包括位於北太平洋的太平洋垃圾帶，它的面積是法國面積的3倍。

塑膠是有毒的，而動物無法消化它。塑膠可能佔生活在太平洋垃圾帶的海龜膳食的74%。塑膠也會散播疾病，令珊瑚礁被毀滅，那兒是25%海洋生物的家園。

我們知道塑膠難以消除，因此我們必須盡可能停止使用塑膠，並在塑膠是唯一選擇時循環利用它。試試不買塑膠產品，循環再造及重用你擁有的塑膠產品。當你到海灘時，你也可以收集海灘上的垃圾，並將它們循環再造！

4
為什麼我們
難過時會流眼淚？

我們的眼睛會製造
出3種眼淚：用來清潔
眼睛的眼淚，用於保持眼
睛濕潤的眼淚，還有與情緒
相關的眼淚，會在我們難過、
感到壓力、痛苦，甚至非常高興時
出現。眼淚含有一種天然止痛藥亮
氨酸腦啡肽（leucine enkephalin），因此
有時你好好哭一場過後會感覺舒服很多！當
你覺得傷心時，你的神經系統會感知你的情
緒。接着，腦部的某部分會製造一些細
小的粒子，告訴你的眼睛要分泌眼淚。

5
為什麼我們哭泣時
會流鼻涕？

當你哭泣時，眼淚會從
淚腺流出來，淚腺位於眼瞼
下方。任何沒有從你的臉頰上滑落的
眼淚都會從淚腺的小縫流到你的鼻子裏去。
眼淚會與鼻涕混合在一起，並流到
鼻子外——趕快擦鼻涕吧！

6
蜜蜂能飛多高？

蜜蜂歷來飛得最高的記錄大約是
9,000米，比珠穆朗瑪峰的最高峰還要
高。不過大部分蜜蜂都更願在誘人的花
蜜間翩翩起舞。

7
草蜢如何進食？

草蜢會用嘴巴進食，就像我們一樣！
草蜢的嘴巴最適合切斷及咀嚼植物。許多動
物的嘴巴面向前方，捕獵時用來咬住
食物，不過草蜢的嘴巴則往下朝向
地面，好讓嘴巴更容易去大啖葉
子、花朵和種子！

8
為什麼瓢蟲身上有圓點？

許多瓢蟲都是紅色的並帶着黑色圓點，
目的是嚇走捕食者。在自然世界中，紅色與
黑色圓點的組合是一種警告，意思是：「別
靠近我！我可能會令你不舒服！」

9
世界上有多少種蝴蝶？

世界上大約有17,500種蝴蝶。牠們往往是根據翅膀的形狀，或者牠們的顏色與圖案來命名。燕尾蝶擁有像鳥類一般的尾巴，蜆蝶（metalmarks）翅膀上有金屬色的斑點，而弄蝶（skipper）會輕快地飛來飛去，就像在跳躍一般。

10
露水是什麼？

如果你早上出門散步，你可能會發現青草上布滿了細小的水珠，那就是露水（dew）。植物與樹木的葉子上也會有露水。露水的形成是由於水的蒸發，即是空氣中的水分冷卻時形成的。當水蒸氣變冷時，會變成一滴滴的液體，在冰冷的物體表面上凝聚。

11
誰發明了彈牀？

彈牀的概念已存在了數千年。因紐特人利用海象皮幫助小朋友彈跳到半空中已有漫長的歷史。一位名叫喬治·尼森（George Nissen）的體操運動員發明了今天這種上下彈跳的彈牀。他在1930年到馬戲團觀賞空中飛人表演後得到靈感，當時他只有16歲。他將一片帆布綁在一個框架上，以實踐他的構想。後來，在體操教練的幫助下，他加上了彈弓和輪胎上的管子，最終他們一起發明了彈牀！

彈牀的英文trampoline源自泳池跳板的西班牙語trampolin。

12
彈牀上的彈弓如何幫助你高高地跳起？

連接着彈牀布料與框架的彈弓是最大功臣。當你跳起後落在彈牀上，彈弓會隨着你身體的重量扯動彈牀的布料往下伸展。物理學上，胡克定律（Hooke's law）指出如果彈弓伸展了，它會盡一切可能回復原狀。當彈牀上的彈弓回到原位後，它們便會拉着彈牀的布料返回上方，那個動作便將你「砰」的一聲彈到空中！

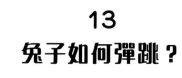

13
兔子如何彈跳？

兔子能蹦蹦跳跳，因為牠們有又長又強壯的雙腳。牠們只靠後腿用力一蹬便能向前跳得很遠。當牠們着地時，牠們的前腿能在後腿往前躍動時保持平衡。

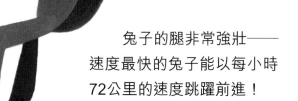

兔子的腿非常強壯——速度最快的兔子能以每小時72公里的速度跳躍前進！

14
水龜和陸龜有什麼不同？

陸龜只會生活在陸地上，而水龜大部分生活在大海裏。陸龜在許多不同的地方生活，從沙漠到潮濕的熱帶雨林都能找到牠們的蹤影。牠們不擅長游泳，因此大多遠離水源。

你只要看看牠們的腳就能辨別水龜和陸龜。陸龜的腳看起來就像小小的象腳，而水龜大多擁有帶蹼的腳，除了海龜，牠們有鰭狀的四肢！

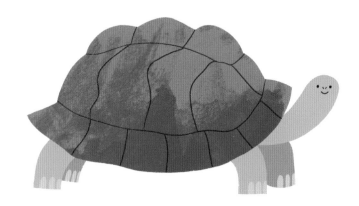

15
為什麼我們能嘗到
不同的味道？

基本的味道共有5種：甜、酸、鹹、苦和鮮，鮮的英文umami原是日文詞語，意思是「可口的味道」。人類擁有數以千計的味蕾，分布在舌頭上、口腔的頂部和喉嚨的後方。只要伸出你的舌頭，你便會看見細小的紅點，稱為乳突（papilla）。你的味蕾就在乳突裏面。在每個味蕾裏都有神經線傳送信號到腦部，以匯報你正品嘗的不同味道。

16
為什麼當你患上感冒時
食物的味道會不一樣？

由赫斯頓·布魯門撒爾作答

事實上，你嘗到的味道沒有不同，但食物的風味卻改變了。風味是由兩種感官——味覺和嗅覺結合而成。要明白它們如何互相合作，可以試試這樣做：拿起一片蘋果並捏住鼻子。現在咬一口蘋果，但繼續捏緊你的鼻孔，仔細想想來自蘋果的酸甜味，這就是單純的味道。因為沒有來自蘋果的氣味，蘋果吃起來便沒有風味。接着，讓蘋果留在你的嘴裏，鬆開鼻子，等待蘋果的風味湧現吧。通常我們所說的味道其實是指風味，因此如果你患上感冒而鼻子沒有被堵塞住，那麼你也許仍能感覺到食物的風味，不過如果你的鼻塞非常嚴重，唔，也許你需要擤一擤鼻子！

水滴魚在英國醜陋動物保育學會
（The Ugly Animal Preservation Society）
舉辦的吉祥物選舉中獲選為「世界上最醜
陋的動物」。牠奪得了接近10,000票！

17
世界上樣子最古怪的動物是什麼？

水滴魚（blobfish）常常被稱為世界上最醜陋的動物，不過這有點不公平！在乾爽的陸地上，水滴魚看來就像一隻大大的蝌蚪又或是一團啫喱，不過在牠們棲息的海洋深處，水滴魚的身體會被海水的壓力擠壓成普通魚類的形狀。

18
為什麼火箭要前往不同的行星？
由理查德・布蘭森爵士作答

火箭會飛往其他行星展開探索與研究，也常常會運載機械人及其他工具以協助科學家了解其他星球。沒有人乘坐火箭到過另一顆行星，不過有朝一日我們可能見證人類在火星甚至更遙遠的地方居住。也許你就是其中一個移居外星的人？

19
泰晤士河有多深？

這條位於英國英格蘭最長的河流有多深，要視乎你從哪裏量度它的深度。泰晤士河最深的就是流入北海的地方，那裏大約有20米。

20
為什麼蛇會蛻皮？

當幼蛇成長，變成成年的蛇時，牠的鱗片會變得太緊，因此牠會褪下整層皮膚，換一套新的鱗片。這個過程的科學名稱是蛻皮（ecdysis）。人類也有類似的情況，當你的雙腳長大了，你就需要新的鞋子。蛇成年後還會繼續蛻皮，例如在牠們長胖了或變瘦了的時候。有時後牠們也會蛻皮來讓鱗皮保持良好狀態。

21
為什麼玫瑰有刺？

玫瑰的刺又叫做棘刺，它們對玫瑰很有用，因為它們能阻止動物將玫瑰大口吞掉！動物可能在嗅聞玫瑰後認為它很美味，不過當牠們嘗試咬一小口時，牠們便會被刺刺痛。哎呀！於是牠們便會放棄，任玫瑰自由自在地生長，盡情地綻放。

22
為什麼樹蛙有紅色的眼睛？

不是所有的樹蛙都有紅色的眼睛！不過其中一種最有名的樹蛙——紅眼樹蛙，確實有紅眼睛。牠們有綠色的身體，幫牠們融入周圍的環境。如果有捕食者接近，牠們便會睜開牠們鮮艷的紅眼睛，並展示牠們巨大的橙色足部和又藍又黃的四肢，來嚇怕捕食者。這讓樹蛙有時間跳到安全的地方去！

23
貓頭鷹能夠看見紫外光嗎？

紫外光是一種人類看不見的光。許多在日間飛行的鳥類能看見紫外光。與人不同，這些鳥類的眼睛裏擁有特殊的細胞，這些細胞裏有微小的油來捕捉紫外光。不過，貓頭鷹是在晚間活動的，因此牠們不能看見紫外光，但在黑暗中卻有出色的視力。牠們大大的瞳孔能讓大量光線進入眼睛。由於貓頭鷹能在黑暗中看東西，顏色對牠們來說便沒那麼重要了。有些貓頭鷹只能看見少數色彩，有些更只能看見黑白色。

24
字典是怎樣製作的？
由凱瑟琳・桑斯特博士作答

字典會說明每個字詞的意思、來源、不同的拼法，還有讀出字詞的正確方式等。《牛津英語字典》（*Oxford English Dictionary*，OED）是一本英語字典，當中包含了許多字詞在不同地方如何運用的例子，包括字詞最早被創造時的情況。字典編纂者（字典的作者）總是會觀察人們在使用什麼新字詞，好讓他們能將新字詞加入字典裏。有時候加入的可能是現有的字詞，但出現新的意義，又或是從其他語言裏借用的字詞，甚至是全新的字詞！

如果你發現了一個新字詞並未收錄在《牛津英語字典》裏，你可以寫信要求字典編纂者考慮將它加入字典裏！

25
為什麼八爪魚有3顆心臟？

八爪魚擁有3顆心臟：兩顆用來輸送血液到牠們的鰓部，餘下一顆會將血液泵往全身，將血液輸送至所有器官。負責照顧器官的心臟在八爪魚游泳時會停止跳動，那就是為什麼八爪魚一般只在海牀上爬行，而不會游泳——游泳真的累壞牠們了。如果八爪魚需要迅速移動，牠們會將一股水柱從身體裏噴出來！

八爪魚擁有藍色的血液——藍色來自血液裏的銅，當水中氧氣不多時，銅對於將氧氣輸送到身體各部分真的非常有幫助。

26
牛真的會引致全球暖化嗎？

牛不是全球暖化的唯一原因，不過牠們的屁與嗝氣確實對環境毫無幫助！一隻牛每年放屁和打嗝時可以排放出大約100至200公斤的甲烷（methane），那對全球暖化而言是嚴重的問題。甲烷是一種溫室氣體，會令我們的星球變暖。餵飼牛隻進食大蒜是減少牠們產生溫室氣體的其中一種方法，不過人類飼養大量牛隻才是問題所在！牛隻需要大量空間，因此樹木會被砍伐，以騰出空間給牛。

其中一個幫助減緩全球暖化的方法，就是減少吃肉或不吃紅肉，以減少飼養牛隻需要的土地，還有減少牛隻放屁和打嗝。

27
為什麼植物是綠色的？

與桑德拉·納普博士一同作答

植物其實不是綠色的，只是我們看見它們是綠色的。我們看見植物是綠色的，因為植物的每個細胞裏都有葉綠體（chloroplast）。葉綠體是橢圓形的東西，含有稱為葉綠素（chlorophyll）的色素。葉綠素會吸收深藍色和紅色的光，這意味着其他從空中灑落的光線會被反射向我們，令植物看來是綠色的。

28
為什麼我們會放屁？

每個人的腸道裏都有細菌，能幫助身體分解及消化食物。作為消化過程的一部分，腸道細菌有時會產生出氣體，而這些氣體必須排出體外──不是打嗝就是放屁。有時屁是來自我們進食太快時吞下的空氣。有些屁會靜靜地溜出來，不過有些屁會發出響亮的聲音，那是當氣體噴射而出時，你的屁股肌肉隨之振動而產生的！

29
我們的眼睛如何看見事物？

如果你望進朋友的眼睛裏，你會看見中央有一個黑色的圓形，稱為瞳孔。瞳孔會變大變小，以控制有多少光線能進入眼睛裏。

當光線進入眼球時，它會穿過保護眼睛的角膜並抵達晶狀體。晶狀體會屈折光線，令光線照射在眼睛後方的視網膜。視網膜上數以百萬計的微小組織視錐細胞（cone）和視杆細胞（rod）會傳送傳息到腦部後方一個稱為視覺皮質的地方。所有進入眼睛裏的影像都是上下顛倒的，不過腦部會將它旋轉至正確的方向——因此真正「看見」你的眼睛在觀看的東西的，其實是你的腦部。

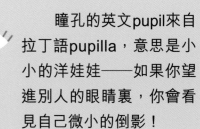

瞳孔的英文pupil來自拉丁語pupilla，意思是小小的洋娃娃——如果你望進別人的眼睛裏，你會看見自己微小的倒影！

奧地利一位教授曾研究腦部是如何看見的。他們製作了一副內側裝上鏡子的眼鏡，讓學生戴上。鏡子會將進入學生眼睛的光線上下倒轉。最初，學生會跌倒，無法分辨上下。向學生送上一杯茶時，他們會上下顛倒地拿着茶杯！不過在之後的10天裏，學生漸漸習慣了上下顛倒的光線，一切似乎變正常了。他們能夠踏單車，做任何他們想要做的事情！

30

為什麼樹木很重要？

與貝拉・拉克一同作答

樹木能形成樹蔭，讓我們感覺平靜，調節天氣，還能為我們供應食物，例如堅果和水果等。不過最重要的是，樹木能讓我們繼續活下去。這由光合作用（photosynthesis）來完成，光合作用是一個複雜的過程，樹木會吸收二氧化碳，並將之轉化為氧氣，讓我們能呼吸，還能讓我們的地球保持清涼。人類沒有了這些高大又長滿葉子的伙伴，便肯定無法繼續存活。樹木也會幫助其他動物，給牠們提供棲息地，就像家園一樣。

31

為什麼啄木鳥不會頭痛？

啄木鳥會用鳥喙啄樹，製造樹洞來築巢、挖掘昆蟲進食，還會用來與同伴溝通！有時候牠們每秒能用喙啄樹多達20次！啄木鳥的腦部很小，但擁有強壯的頸部，頭骨裏也有額外的肌肉，就像頭盔一樣。這可防止啄木鳥的腦部在牠啄樹時彈來彈去。在啄木前，啄木鳥會將頸部肌肉往後拉，並閉上內眼瞼——好讓牠的眼睛不會從眼窩中彈出去！

四月

四月

1
第一幢房子是什麼時候興建的？

大約180萬年前在坦桑尼亞，有人圍繞着地面上一個凹陷了的地方放置了一圈石頭，看起來就像草屋或木屋的基礎。那是我們所知的歷史上第一次出現了房屋的概念！不是所有研究房屋的人都認可那些石頭是一幢房子，不過大部分人都同意。在法國尼斯的考古遺跡阿瑪塔（Terra Amata）也有其他早期的房屋，它們已有超過400,000年的歷史！如果你去那兒參觀，你便能看見一些房屋的地基，還有煮食爐火的痕跡。

2
為什麼有些人沒有房子，
甚至住在街上？

由詩人喬治作答

人們會因為各種各樣的原因而變得無家可歸。有些人生病時沒有人照顧他們，有些人錢用光了，被迫離開家園。他們可以得到一些幫助。許多慈善組織和庇護中心會提供免費的膳食和安全的地方讓他們在晚上過夜。不過不幸的是，這並不能幫到所有人，我們必須非常努力才能徹底解決無家可歸的問題。

其實，你也可以做一些善事，可以收集不再穿的保暖衣物，然後將這些衣物交給協助流落街頭者的慈善機構。

3
為什麼樹懶這麼懶洋洋？

樹懶的英文sloth意思是「緩慢懶散」，而牠們活得名副其實。牠們幾乎什麼都不做，而牠們做事時也做得非常緩慢！樹懶會掛在樹上，常常一天睡上15至20小時。牠們每星期只會離開樹枝一次，那就是當牠們需要去大便的時候。

樹懶的每團糞便都非常巨大，當樹懶大便後牠的體重便會減少多達三分之一！

4
如何利用糞便發電？

有很多方法！當稱為細菌的微小生物進食糞便時，它們會釋放出一種稱為甲烷的氣體，產生能源。此外，如果你將糞便脫水，即是將糞便裏的所有水分除去，你便能令它們變成小顆粒，就像燒烤用的碳一樣，這些顆粒可以像煤一樣燃燒，以產生電力。

5

長頸鹿的脖子有多長？

長頸鹿的脖子大約長1.8米——差不多與牠們的腿一樣長！雖然長頸鹿的脖子真的很長，它裏面只有7塊骨頭——與人類頸部的骨頭數量相同。

6

為什麼長頸鹿有
長長的脖子？

你也許認為長頸鹿有長長的脖子是為了讓牠們能吃到高大的樹木上的葉子，不過原因可能并非如此。雄性長頸鹿會做出稱為「交頸」（necking）的動作，用牠們的長脖子來打架——牠們將脖子交纏在一起並互相角力。雄性長頸鹿的脖子太強壯，牠能夠利用脖子撞倒其他長頸鹿，甚至將對方殺死。

7

長頸鹿會發出
什麼聲音？

長頸鹿喜歡哼歌！維也納大學的長頸鹿專家在3個不同的動物園裏錄下了長達947個小時的長頸鹿聲音。他發現長頸鹿主要發出的聲音就是低哼，不過只會在晚上出現，而且頻率非常低，因此人類無法聽見。

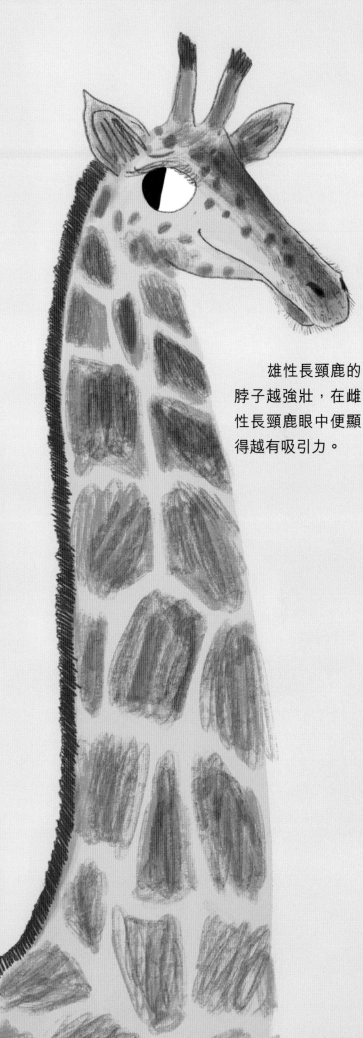

雄性長頸鹿的脖子越強壯，在雌性長頸鹿眼中便顯得越有吸引力。

8
雲是從哪裏來的？
與加文·普雷托爾—平尼一同作答

雲是由成千上萬的細小水點組成的！當你看見天空中的白雲時，它看似巨大鬆軟，不過如果你走近一點，你會看見雲是由大量細小的水珠組成。低處的雲是由小水點組成的，而高處的雲則由細小的冰晶組成。雲來自空氣中的水分，稱為水蒸氣。你無法看見它，因為那是一種氣體，不過空氣裏的水蒸氣會在空中聚集並形成雲。每當空氣冷卻時，便可能有雲出現。

9
雲如何飄浮在半空中？
與加文·普雷托爾—平尼一同作答

組成雲的小水點和冰晶又小又輕，就像一點點的塵埃。它們如此細小，所以能輕易地飄浮在空中。因此，每當有微風吹拂，整團雲都會隨風飄動。

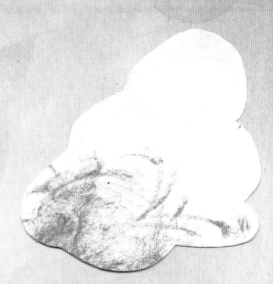

10
風是如何吹起的？

與凱特·馬丁一同作答

風只是移動的空氣！空氣是由稱為分子（molecule）的細小粒子組成。在某些地方，這些分子會緊密地擠在一起，被稱為高壓區。在其他地方，分子會相距得較遠，因此我們稱之為低壓區。空氣分子總是會嘗試由高壓區移動到低壓區，因為它們不喜歡緊靠在一起。這種活動會令風吹起來。

11
雲如何產生雨？

與加文·普雷托爾—平尼一同作答

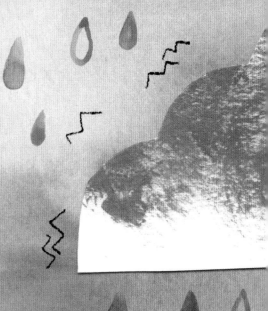

當雲變得高大，底部開始變暗並呈現灰色時，雲便會產生雨。雲頂部的小水點會開始凍結。當小水點變成細小的冰晶後，它們會抓住附近的小水點。這些冰晶變得越來越大顆，直至它們開始下跌。在冰晶下跌之際，它們會經過下方較溫暖的空氣並再次融化。融化後便會變成雨點墜下，落在你的頭上。滴滴答答！

直至1875年，英國才將僱用兒童來清潔煙囪列為違法行為。

12
植物如何生長？

植物需要水、氧氣和温暖的氣温來生長——你可以用「WOW」（即water、oxygen和warmth）來記住這些條件。它們也需要食物、空間和時間。有些植物需要數天、數個月甚至數年才能開花結果。不過這很值得！植物由種子開始生長。當種子落在地上，或者被栽種在水分充足、温度合適的地方，它便會隨之生長。種子會將根部向下伸展到泥土裏，而莖部則向上伸向地面，破土而出來到陽光中，抬頭迎向太陽。

13
為什麼男孩曾被
僱用於打掃煙囪？

在1666年的倫敦大火發生後，政府引入了許多規則，包括煙囪必須細小而狹窄以確保煙囪更安全。4歲左右的男孩曾經要負責爬上煙囪以清除煤灰，因為成年人體型太大，無法走進煙囪。這是非常危險的工作。有時候也會由女孩負責這項工作呢。

14
鐵達尼號撞上冰山時
有沒有晃動？
與鐵達尼號紀念館一同作答

鐵達尼號於1912年由英國修咸頓（Southampton）展開旅程前往美國紐約市。這艘船非常大，船上設有一個健身室、一個泳池，甚至一個壁球場。船員需要帶上大量食物，包括40,000隻雞蛋！不幸地，這艘船在海上只航行了4天便沉沒了。有些乘客事發時完全聽不見任何聲音，而其他乘客在鐵達尼號撞上冰山時只感覺到一陣輕微的震動。

15
海參可以食用嗎？

可以！海參（sea cucumber）是一種細小的海洋生物，我們認為海參可能有大約1,700種，但只有大約80種可以食用。可食用的海參在中國菜中非常受歡迎，還可能有益健康呢。主要的可食用海參包括刺參，牠有爽脆的質感，還有擁有圓滑頭部和柔軟、脹鼓鼓的身體的禿參。海參沒有什麼味道，因此牠們一般會與其他材料混合在一起烹調，使味道更豐富。

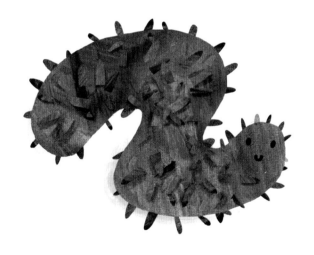

16
為什麼紅鶴會單腳站立？

紅鶴單腳站立可能是為了節省能量。因為牠們的體形，紅鶴單腳站立時會比兩腳同時站着使用較少肌肉力量。也有可能牠們單腳站立以保持溫暖，因為如果牠們兩腳浸在水中牠們可能會覺得很冷。

17
全世界的海洋
加起來有多少水？

地球上的水大約有12.6億萬億公升，其中大約有97%的水位於我們的海洋裏！

18
誰是第一個
電腦程式編寫員？

一位出生於1815年、名叫埃達·洛夫萊斯（Ada Lovelace）的女子被視為第一個電腦程式編寫員，儘管她生活在電腦遠未存在的年代。埃達的爸爸是一位詩人，名叫拜倫勳爵（Lord Byron）。在埃達出生後的數星期，拜倫勳爵便趕走了埃達母女。拜倫夫人認為女兒絕不可以學習詩詞，以免長大後變得跟爸爸一樣，相反，她設法讓埃達學習數學和科學。

當埃達長成亭亭玉立的少女時，她遇上了一位名叫查爾斯·巴比奇（Charles Babbage）的男士。巴比奇構想建造一部稱為分析引擎的機械電腦，但他從未成功將它建造出來。埃達曾將有關這部電腦的事情記錄下來，而她的筆記中包括了一項讓這部機械可以自己運作的指令——那就是史上第一個電腦程式！

埃達想像電腦在未來能夠下棋和播放音樂，並做到各種各樣的事情。她猜對了！

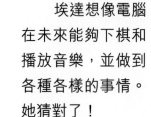

19
乳牛如何製造牛奶？

要製造牛奶，乳牛需要進食大量的食物，牠們的胃部有4個隔室用來消化食物。第一個胃室，食物會與水混合。第二個胃室，食物會被壓爛變成小團，稱為反芻物（cud）。反芻物會返回牛的嘴巴裏，經過咀嚼後再送往第三個胃室，在這裏水分會被擠出來。在第四個胃室裏，食物會被分解，當中的養分會被用於製造牛奶。乳牛會在乳房裏製造及儲藏牛奶。

在乳業農場裏，酪農會用機器為乳牛擠奶。商店裏的一瓶牛奶可能含有來自超過1,000頭不同的乳牛的牛奶！

20
為什麼花朵會有氣味？

與蒂姆．斯米特爵士一同作答

數百萬年來，花朵用誘人的氣味來吸引不同生物，例如昆蟲、鳥類、蝙蝠和哺乳類動物。在這些生物嗅聞到花朵迷人的香味時，牠們會走近甚至爬到花朵裏面，渾身沾滿像塵埃一般的花粉。當這隻生物到處移動，到訪其他花朵時，牠便很可能令花朵受精。植物寶寶便就此誕生了。如果你像植物一般，無法移動，你便需要發展出一些技能讓其他活動力更高的生物來協助自己。

21
為什麼貓頭鷹
會旋轉牠們的頭部？

人類能上、下、左、右轉動自己的眼睛，不過貓頭鷹卻做不到那種動作。因此牠需要向不同的方向轉動頭部以觀看事物。貓頭鷹能夠轉動頭部達270度。

　　令人驚訝的是貓頭鷹能夠飛快地轉動牠們的頭部——我們那樣做的話肯定會弄痛頭部和脖子！貓頭鷹的頸骨中有孔洞，裏面有氣泡。當貓頭鷹轉動頭部時，這些氣泡能形成小小的緩衝物，讓血管輕柔地刷過。這樣，當牠們到處轉動頭部時便不會令自己受傷了。

22
誰發明了音樂？
與杰克·薩沃雷蒂一同作答

沒有人確切地知道是誰發明了音樂。數千年前，人類很可能發現他們能用自己的嗓子創造音樂，因為嗓子就是人類最初期的樂器。人們很可能會創作歌曲，在夜晚哼唱。之後他們很可能發現敲打物件，便能產生音樂與節奏；而將骨頭挖空，便能製作笛子和其他樂器。因此音樂很可能只是在許多、許多年間自然而然地出現。音樂是人類的一部分，而自我們有記憶以來它一直伴隨在我們左右。

23
哪一個國家製作出第一件樂器？

德國可能是歐洲第一個製造樂器的國家。2008年，科學家在德國一個洞穴裏發現由兀鷲骨頭和猛獁獠牙製成的笛子。它們是世界上發現過最古老的樂器——大約有40,000年歷史！1986年，中國亦發現了用鳥骨製造的笛子，大約來自公元前6,000年。其中一根笛子在發現時仍能用於演奏！

印度亦曾發現古老的笛子及弦樂器。

24
為什麼當你觸碰泡泡時
它們會「啵」的一聲破掉？

與海倫·切爾斯基一同作答

肥皂泡外側有一層肥皂包圍着，然後是一層水，接着再有一層肥皂。只要兩層肥皂沒有相觸，泡泡便不會破裂。如果你用手指輕碰泡泡，兩層肥皂會碰在一起，然後泡泡便會像氣球一般爆開！不過如果你將手先浸在水裏，然後小心地壓在泡泡上，你的手指可能穿過泡泡而不會將它弄破。

所有泡泡最終都會破掉，即使你沒有碰觸它們。那是因為兩層肥皂之間薄薄的一層水會往下流到泡泡的底部，令泡泡的底部變得更厚，而頂部變得更薄。當泡泡的頂部變得越來越薄，內層和外層的肥皂就會碰觸到一起，然後泡泡便會破掉！

25
蜜蜂只能螫人
一次是真的嗎？

蜜蜂通常在螫人一次後便會死去，因為牠們的螫針上有倒勾，螫人時會被卡住，當牠們想飛離時，螫針會被從牠們的身體上扯下來。不過，大黃蜂（bumblebee）和獨居蜂（solitary bee）能螫人多次，因為牠們能順暢地拔出自己的螫針，並安全地飛走。

26
誰發明了文字？
發明者又書寫了
什麼東西？

與歐文・芬克爾博士一同作答

最古老的文字是由蘇美爾人（Sumerian）發明的，他們生活在5,000年前的美索不達米亞（Mesopotamia），或古時的伊拉克。人們想要用一種永久的方式去記錄字詞，讓其他人能夠看到他們書寫的符號，並在腦海中出現這些字詞的讀音。蘇美爾人最初發明了一種類似圖畫的文字，其後變成了楔形文字。這是一種完備的文字系統，存在了大約3,000年，然後逐漸被其他文字取代，包括類似英文的字母。漸漸地，人們學會了把任何東西都寫下來：包括故事、歌曲和信件，還有稅務紀錄，關於軍隊的詳情，關於神明的傳說──各種各樣的東西！

我們非常幸運，因為蘇美爾人是在一塊塊的泥板上書寫的，當泥板被埋在地面下，上面的文字便保存下來。如今掘出這些泥板，我們仍能閱讀它們！

27
世界上第一間
圖書館是哪一間？

世界上最早期的圖書館恰好位於發明文字地方！亞述國王亞述巴尼拔（Ashurbanipal）在公元前668至627年間統治了尼尼微（Nineveh），即是現今的伊拉克。他擁有一間圖書館，裏面有大約30,000塊泥板。他派人去搜尋不同的故事，並將每一個故事刻在泥板上，然後放在架上。這個圖書館並不像今天的圖書館一般滿是書籍，但它是圖書館這個概念的開端。

28
樹熊只吃尤加利樹葉，
會厭倦嗎？

樹熊主要吃尤加利樹葉，不過牠們似乎對此相當滿意。如果牠們真的感到厭倦，牠們也可啃咬其他樹木的樹葉，例如相思樹，茶樹或白千層等。樹熊寶寶會進食媽媽炮製的「軟食」，那就像一種流質的大便——牠們會直接從媽媽的屁股那吃這種軟食！含水量很多的軟食充滿了已分解的尤加利樹葉，並含有細菌，幫助樹熊寶寶提前適應，預備好在牠們長大後能自行消化尤加利樹葉。

29
大熊貓能
吃多少竹子？

大熊貓每天會進食大約12至38公斤的竹子。那大約等於120至380個藍莓鬆餅的重量！竹子裏沒有太多營養素，因此熊貓必須吃許多竹子才能獲得牠們每天所需的養分！

雙冠蜥能夠在水面上跑動約4.5米，之後便會下沉，靠游泳前進！

30
某些蜥蜴為何能在
水面上行走？

蜥蜴跑步時有3種不同的動作：拍擊、踢腿和復原動作。牠的腿會先伸進水裏（拍擊），往後移動（踢腿），然後從水中拔出來，預備走下一步（復原動作）。當蜥蜴拍擊水面時，腳周圍會產生一個小氣泡，幫助牠保持直立。為了有利於跑動，蜥蜴的後腿上長有長長的腳趾，而牠會用平坦的腳來拍擊水面。牠必須不斷快速移動來保持平衡。多靈敏的蜥蜴！

五月

五月

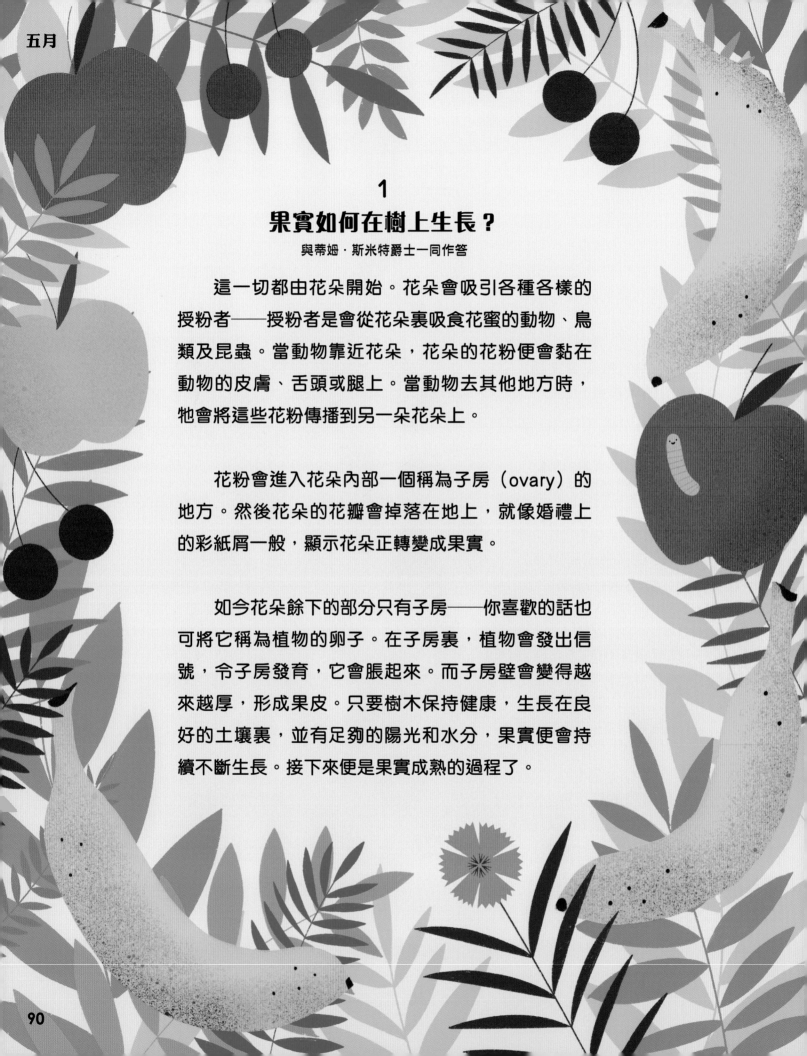

1

果實如何在樹上生長？

與蒂姆·斯米特爵士一同作答

這一切都由花朵開始。花朵會吸引各種各樣的授粉者——授粉者是會從花朵裏吸食花蜜的動物、鳥類及昆蟲。當動物靠近花朵，花朵的花粉便會黏在動物的皮膚、舌頭或腿上。當動物去其他地方時，牠會將這些花粉傳播到另一朵花朵上。

花粉會進入花朵內部一個稱為子房（ovary）的地方。然後花朵的花瓣會掉落在地上，就像婚禮上的彩紙屑一般，顯示花朵正轉變成果實。

如今花朵餘下的部分只有子房——你喜歡的話也可將它稱為植物的卵子。在子房裏，植物會發出信號，令子房發育，它會脹起來。而子房壁會變得越來越厚，形成果皮。只要樹木保持健康，生長在良好的土壤裏，並有足夠的陽光和水分，果實便會持續不斷生長。接下來便是果實成熟的過程了。

果實的未來完全有賴於保障我們的授粉者，例如蜜蜂等的安全，並保持土壤健康及有充足水分。

最初，大部分的果實都是堅硬、青綠的，味道苦澀，不過隨着果實達至生長期的末期，它便會釋放出一種特殊的化學物質，稱為乙烯（ethylene），令肉質軟化，顏色改變。當果實出現這些變化時，它也會變得多汁又甜美，我們便可以把它吃掉啦！如果果實一直留在樹上，最終它會掉落在地，並在此腐爛，而果實裏的種子便會長成更多果樹。

果實也可能被動物吃掉。在動物體內，種子堅韌的外殼會保護它免被肚子裏的酸損害。

當動物大便時，種子如果落在適合的地點便會發芽，它會依靠動物糞便裏豐富的養分生長，並長成新的樹木，繼續結出果實。

不是所有果實都在樹上生長。有些果實生長在灌木叢裏。還有的果實，例如菠蘿則在地面上生長。

2
為什麼獅子擁有鬃毛？

雄性獅子擁有鬃毛，不過幼獅和雌性獅子則沒有鬃毛。雄性獅子擁有鬃毛以向雌性獅子顯示牠們健康、強壯，可以成為一位好父親。鬃毛也可以在獅子打鬥時好好地保護牠們的頸部。

3
獅子能跑得有多快？

獅子在短距離裏可以用每小時80公里的速度奔跑，而牠們一躍能跨過11米！

4
為什麼蕁麻會刺人？
它們用什麼來刺人？

蕁麻的葉子和莖部布滿了微小的絨毛。當你觸碰這些絨毛，絨毛的尖端便會斷開並黏在你的皮膚上，就像微細的針，在你的皮膚裏注入毒液。這種毒液是由令人刺痛難耐的化學物質混合形成。你的皮膚可能會變紅並出現小腫塊。蕁麻刺人很可能是為了保護自己，以免被動物吃掉！

5
如果我們沒有總理或總統，
會發生什麼事？

由本杰明‧澤弗奈亞教授作答

　　想像一下你的學校沒有校長，學校也不會停止運作。如果校長不在了，老師便要自行決定如何運作這間學校。因此，如果我們沒有總理，我們仍舊擁有一個國家，而在政府機構工作的人們必須更緊密合作。這可能代表像你和我這樣的市民將要參與更多社區事務。世界各地有許多人構想過我們如何能夠在沒有總理和總統的情況下生活，但沒有人是這個問題的專家。這個答案只是我對於我們如何在那種情況下生活的想法。不過，面對這類型的問題時，你的想法和我的想法都同樣重要！

6
足球是如何發明的？

與詹姆斯．哈金一同作答

人們自從發現自己擁有雙腳以來，便將球踢來踢去取樂！我們認為早期的足球是在大約2,000年前的中國出現的。那時的球員要將一個皮球踢進龍門裏，不過龍門的寬度只有大約30厘米（一把尺子的長度）。

足球的規則於大約200年前在英國第一次被記載下來。在此之前足球並沒有固定的規則，而賽事會在村落之間進行。數以百計的人會互相爭奪皮球。1846年在打比郡（Derby）舉行的一場比賽中，便曾動用軍隊來恢復秩序。因此，必須為足球設立規則以免人們陷入麻煩！

7
皮球怎樣彈起來？

當你放開皮球，引力會將皮球拉向地面。皮球撞上地面，會令皮球承受同等的力量，因此皮球便會反彈回來。皮球大多是由一些有彈性的物料製成，例如橡膠。有彈性的物料被擠壓後能夠回復到原本的形狀。如果皮球是由一些較軟的東西製成，例如泥膠等，它便不會彈起來。

8
足球球證的哨子是
如何運作的？

與亞歷克斯・貝洛一同作答

雖然你看不見空氣，但空氣是由多達萬億計稱為分子的微小東西組成，它們到處彈來彈去。球證的哨子有兩個洞：一個給你吹氣進去，另一個是空氣流出來的地方。當你往哨子裏吹氣，你便會將數萬億顆空氣粒子一下子噴射進哨子裏面那窄小的空間中。空氣會自己反彈，撞上不停湧進去的空氣。接下來，空氣會擠向離開哨子的洞。這些旋轉的空氣流動會產生尖銳的聲音。

9
為什麼污染會
導致氣候變化？

化石燃料燃燒，例如石油等而產生的污染會導致稱為二氧化碳（CO_2）的氣體排放進空氣裏。二氧化碳是一種溫室氣體，它會將熱氣困在地球的大氣層裏。溫室氣體會包裹住地球，並阻止熱力散失，令地球的溫度上升，就像溫室能令裏面的植物保持溫暖。暖化現象會改變地球上的天氣規律與溫度，這種情況稱為氣候變化。

10
為什麼有些樹木
長得如此高大，
而有些長得這麼矮小？

與西蒙・圖默一同作答

樹木會利用它們的葉子將陽光轉化成食物，讓它們能夠生長。你會發現最高大的樹木生長在森林裏，因為這是樹木與鄰居爭奪陽光最為激烈的地方。在其他地方，例如山頂，樹木不需要生長得那麼高大也能得到陽光，所以它們便不會浪費能量來長得更高。

11

海豚如何發出尖叫聲？

與特拉維斯·帕克一同作答

海豚會利用額頭發聲。當海豚從噴氣孔吸氣時，牠便會將部分空氣儲存在頭部的小氣囊裏。當牠想發出尖叫聲或者滴答聲時，它便會讓這些空氣通過頭部的一對唇瓣。那就像向着一顆覆盆子吹氣，不過海豚頭部的唇瓣要細小得多，令它能發出高吭的尖叫聲或滴滴答答的聲音。

12

為什麼虎鯨是黑色和白色的？

與理查德·薩賓一同作答

虎鯨位於海洋食物鏈的頂端，因此牠們需要出色的偽裝。虎鯨的身體上方是黑色的，而下方是白色的，那是一種稱為消影（countershading）的保護色。對於虎鯨來說，其他生物從上方往下望時，虎鯨彷彿與下方的深海融合而較難被看見，同時從牠們下方往上望向有太陽照耀的海面時，亦難以發現牠們。黑色與白色的斑紋亦能破壞虎鯨的輪廓，令牠較難被獵物認出來。

13

為什麼虎鯨的眼睛旁邊有白色的斑塊？

很多人認為，虎鯨眼睛的斑塊能作為一個虛假的攻擊目標，以保護牠真正的眼睛。如果有生物嘗試攻擊虎鯨的眼睛，牠便會擊中眼睛的斑塊。

14
火焰從何而來？

當你將熱力和氧氣添加到燃料上，便會產生火焰。燃料是儲存着大量能量的東西，例如木柴或者煤炭。木柴裏的能量來自太陽，陽光照在活着的樹木上，當中的能量隨樹木生長而儲藏在樹木裏。當你加熱燃料，它會釋放一種隱形的蒸汽，並與空氣中的氧氣混和，形成一團氣體。這會產生更多熱力，並釋放更多蒸汽，以形成火焰。

只要你不斷向火中添加氧氣和燃料，它就會繼續燃燒。

15
為什麼火焰有時是藍色的？

火焰會展現出不同的顏色，因為火焰的溫度不同。火焰裏的氧氣越多，火焰便越熱。黃色的火焰沒有太多氧氣，而藍色的火焰有大量氧氣。如果你觀察蠟燭的火焰，你會發現火焰的底部是藍色的——那是火焰吸走大量氧氣的地方！

16
是什麼讓緩步動物
如此擅長在極端的
環境中生存？

緩步動物（tardigrade）亦被稱為水熊或苔蘚豬仔，牠是地球上最堅不可摧的動物！牠們的大小像一顆沙粒，已存在了5.4億年。牠們能在任何地方生活，而且幾乎不可能被殺死。緩步動物被凍結、脫水，甚至加熱到149℃後仍然能存活！牠們如此頑強，是因為牠們會進入隱生（cryptobiosis）的狀態，在極端的環境中牠們會裝死。緩步動物能停止身體機能，令全身99.9%的部分停止運作。沒有水的時候，牠會變得枯乾。牠能保持那樣子許多年，當牠回到水中時便膨脹回來。牠也會形成玻璃狀的繭來保護自己。

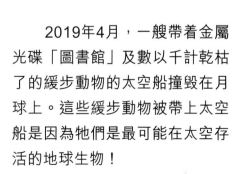

2019年4月，一艘帶着金屬光碟「圖書館」及數以千計乾枯了的緩步動物的太空船撞毀在月球上。這些緩步動物被帶上太空船是因為牠們是最可能在太空存活的地球生物！

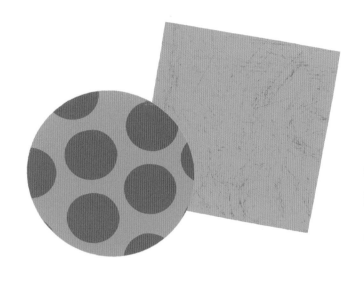

17
地球是不是一個圓形，而宇宙是一個正方形？

我們曾看過從太空拍攝我們這顆美麗星球的照片，因此我們知道地球是圓的。我們不確定宇宙是什麼形狀的，不過一般人們都認為宇宙是圓形的，並不斷旋轉。

18
為什麼你用指甲抓刮黑板時會打顫？

人們認為這和特定的聲音在你的耳朵裏振動得有多快相關。聲音振動的速度稱為聲音的頻率（frequency）。它是以稱為赫茲（hertz，Hz）的單位量度的。類似用指甲抓刮黑板或是嬰兒尖叫的聲音在我們的耳朵裏會產生放大的效果，因為這些聲音都屬於相同的頻率範圍。這些聲音的頻率都是在2,000至4,000赫茲之間，那會令我們心跳率上升，並令我們打顫！

19
為什麼夜鶯會唱這麼多種類的歌？

與賈森・沃德一同作答

夜鶯能發出1,000種不同的聲音，並用那些聲音來唱出大約260首歌。牠們有時會唱至夜深，可能會影響人們睡覺。夜鶯能唱出如此多變化的歌曲，是因為牠們的喉嚨裏有特殊的聲帶。牠們甚至能夠同一時間唱出兩個音符！

20
世界上最小的蝙蝠
是哪一種？

世界上最小的蝙蝠是豬鼻蝠（Kitti's hog-nosed bat），也被稱為大黃蜂蝙蝠——牠的重量僅有2克！

21
電子遊戲對現實生活
有什麼幫助？

與克里斯蒂安·沃爾辛一同作答

電子遊戲能教會你許多現實生活中能使用的技巧。與朋友一同玩電子遊戲能建立團隊合作的技巧，在許多遊戲中，你也需要閱讀和寫作技巧，還有同理心（以了解其他人）。遊戲中亦常常有角色的故事，能讓我們了解其他人如何生活，並協助我們理解現實世界發生的事情。

22
一角鯨會用牠的角
來做什麼？

一角鯨又稱為海洋中的獨角獸，是在北極棲息的鯨魚。雄性一角鯨長有一顆長牙，稱為獠牙，可長達3米！科學家並不知道為什麼，不過那可能是為了吸引雌性一角鯨。雄性也能用獠牙來捕魚及感知水中的變化，因為獠牙裏有許多神經末梢。

23
汽車是如何運作的？

汽車會靠引擎移動。引擎是一個擁有可活動零件的機械，由燃料或電池來驅動。當汽油或柴油汽車發動時，你聽見的轟鳴聲就是引擎的聲音。電動車利用電池來推動引擎，你需要將汽車接上電線來為它充電，就像電話一樣。

24
為什麼有的國家靠左行駛，而有的國家靠右行駛？

世界上大部分國家的汽車都是在馬路右側的行車線上行駛的，不過有70多個國家是在左側的行車線上行駛的。羅馬時代，我們還沒有汽車的時候，靠左行駛是更合理的，因為大部分人都是右撇子，而用左手控制馬車或戰車代表你的右手可以抵禦盜賊。人們靠左或靠右行駛的原因很多都與歷史有關。例如，拿破崙將靠右駕駛的習慣帶到他攻佔了的國家去，但部分擊敗拿破崙的國家仍保持靠左駕駛的習俗。

25

人們為什麼會暈車？

當你暈車時出現的感覺稱為動暈症（motion sickness），那是由於你的腦部從耳朵及眼睛接收到了不同的信息所致。你的眼睛告訴腦部你沒有移動，但你的耳朵則在告訴腦部你在移動。要停止暈車的感覺，最好的方法就是透過窗戶望向遠方。那樣，你的眼睛和耳朵便會接收到相同的資訊，你的身體便會放鬆下來。

26

要建造一條高速公路
需要多長時間？

那要花上許多年！興建高速公路需要計劃和地圖。你有許多工作要做：挖掘土地、將地下水排乾、分流其他道路與小徑、建築橋樑，還有更多其他程序。只有這樣才能將高速公路設置好。要讓駕駛者能夠以每小時113公里的速度風馳電掣，那需要多年的努力。

27

哪一種動物是最佳媽媽？

在動物王國裏有許多出色的媽媽！紅毛猩猩（orangutan）媽媽也許是最勤勞的（撇除人類媽媽不談的話！）。牠們會在寶寶出生最初的數個月裏一直將寶寶帶在身邊，然後持續照顧寶寶長達7年！大象媽媽會輪流照顧族群裏的大象寶寶。短吻鱷媽媽會將剛孵化的短吻鱷寶寶放在顎部帶着到處走，以保護寶寶安全，直至牠們學會保護自己。八爪魚媽媽能夠產下多達200,000顆卵子，牠們會保護卵子一段非常長的時間，有時可能長達4年，直至卵子孵化為止。有時候牠們寧可吃掉自己的觸手，也不會離開寶寶去覓食，任由寶寶失去保護！

28

哪一種動物是最佳爸爸？

與海倫・斯凱爾斯一同作答

海馬是最佳爸爸！海馬是我們已知的動物中唯一一種由爸爸照顧在牠們肚子裏的寶寶。海馬會雙雙結對，常常一輩子與相同的伴侶在一起。海馬爸爸會從海馬媽媽那裏得到卵子，並將它們放在肚子裏的育兒袋中以保安全。當卵子孵化，海馬寶寶會在海馬爸爸的肚子裏到處蠕動，並越長越大。接着，當海馬寶寶準備好外出時，海馬爸爸便會擠壓育兒袋，噴出數以百計的海馬寶寶！

29
恐龍是溫血動物
還是冷血動物？

與大衛‧巴頓博士一同作答

在科學家第一次發現恐龍的時候，他們認為恐龍是冷血的，就像今天的爬蟲類動物一樣，會從牠們周圍的環境中獲取熱能。隨着科學家發現更多恐龍，他們認為恐龍可能是溫血的，就像現代的哺乳類動物和鳥類，會在身體內產生熱能。藉由研究恐龍的骨頭，一些科學家認為部分恐龍，特別是類似鳥類的恐龍，例如伶盜龍（velociraptor）等，都是溫血的。一些較大型的恐龍可能同時是溫血和冷血的，被稱為「中溫動物」（mesothermy）。牠們可能單靠擁有龐大身形便能保持溫暖！

30
為什麼針鼴雖然是
哺乳類動物，
但也會生蛋？

與杰克‧阿什比一同作答

大部分被稱為哺乳類動物的生物都會直接誕下幼崽，而不會生蛋。大約3億年前，一些動物向着哺乳類動物的方向進化。進化之前，兩種動物的祖先都會在蛋裏生出小寶寶，就像今天大部分的爬蟲類動物一樣。但從那時候開始，大部分哺乳類動物演變成誕下幼崽的繁衍方式，但針鼴（echidna）則繼續生蛋。

31
鯨魚會放屁嗎？

會，當鯨魚放屁時，你能看見許多氣泡從牠的屁股裏冒出來！許多其他動物也會放屁，而恐龍很可能也會放屁。如果你有飼養小狗當寵物，你便會知道小狗絕對會放出臭味薰人的屁。

我們認為所有哺乳類動物都會放屁，但樹懶除外。樹懶不會放屁，相反，牠們體內的氣體會被重新吸收進血液裏，而牠們會將這些氣體呼出體外。

螃蟹和蠔不會放屁，而八爪魚和海葵也不會放屁。

潮蟲（woodlice）不會從屁股放屁，但牠們會排出一種類似屁的廢棄物質，能夠每次持續排放一小時。

是什麼這樣臭？

鯡魚是一種小小的鹹水魚類，牠們會藉由放屁和其他鯡魚交談，並在黑暗中聚集。

六月

六月

1
太陽怎樣令一切變熱？

太陽會散發出大量的熱量，熱量產生的方式與陽光相同，都來自太陽內部。地球上的生命能存在，是因為太陽與我們相距適當的距離，讓我們保持溫暖，並幫助植物及樹木生長，讓我們有食物可吃。如果太陽離我們近一些，它便會燒焦我們，而如果它離我們更遠，它便不能給我們足夠的熱力和光來讓我們生存。

2
皮膚怎麼會曬黑？

人類的皮膚含有一種色素，稱為黑色素（melanin），它讓皮膚擁有顏色。擁有大量黑色素的人皮膚顏色較深。當太陽曬在皮膚上，皮膚便會產生出更多黑色素，令皮膚的顏色繼續變深。

保護你的皮膚免受太陽傷害的最佳方法，就是留在陰暗處，並戴上帽子，同時塗上大量太陽油！

3
太陽油如何產生效用？

太陽油能保護你的皮膚免受來自太陽的有害光線侵害。太陽油是由兩種化學物質製成：有些會反射和散射陽光，令陽光遠離皮膚；有些則會代替皮膚吸收陽光。太陽油的瓶子上會印上SPF（Sun Protection Factor，防曬系數）的數字，告訴你這瓶太陽油的能力有多強。SPF數字與太陽油能保護你的時間有多長有關。但不論SPF是多少，你都應該每隔一段時間便重複塗上太陽油，特別是當你去游泳時，要記得，沒有太陽油能保護你避開所有的太陽光。

4
為什麼有些頭髮在
太陽下顏色會變得較淺？

當陽光曬在你的身體上，它會令你的皮膚產生更多黑色素而使皮膚變黑。不過太陽卻會漂白你頭髮裏的黑色素，令頭髮的顏色變淺。較深色的頭髮含有較多真黑色素（eumelanin），能夠巧妙地保護你的頭髮，因此越黑的頭髮越不容易淡化。

如果你經常在陽光普照下在大海或泳池裏游泳，有些頭髮的顏色會進一步變淺。這是因為泳池裏的氯氣和大海裏的鹽會影響形成頭髮的角蛋白。

5
引力是怎樣形成的？

與羅布‧布萊克一同作答

引力讓我們不會在空中飄浮，也能令地球圍繞太陽轉動。大約350年前，一位名叫艾薩克‧牛頓（Isaac Newton）的科學家提出了引力的概念。他認為引力是一種拉扯或力，會令兩件物體靠在一起，就像磁石互相吸引一樣。不過後來，科學家發現一些假設引力理論是真的，便不合常理的情況。大約100年前，另一個名叫艾伯特‧愛因斯坦（Albert Einstein）的科學家提出一個想法，他認為我們能看見引力的影響是因為所有物體都會令空間扭曲。物體越大，扭曲的空間便越多。太陽等巨大的物體令空間扭曲的情況就像人站在彈牀上一般。地球環繞太陽旋轉就像較小的物體（例如高爾夫球）沿着人在彈牀上形成的凹陷處滾動一樣。

6
蘋果是從哪裏來的？

早期的蘋果來自哈薩克（Kazakhstan）。哈薩克的前首都稱為阿拉木圖（Almaty），意思就是「充滿蘋果」！人們沿着絲綢之路旅行時會吃蘋果，並沿路把蘋果核丟掉，那就是其他地區也長有蘋果樹的原因。野生的哈薩克蘋果有許多不同的大小和味道——有些吃起來可能像榛子、甘草或是甜美的蜜糖。

世界上大約有8,000種蘋果，比任何其他水果都多。

7
海洋的分層是如何命名的？

海洋的每一個區域都是根據照射到那裏的陽光量而命名的。透光帶（sunlight zone）是海洋的頂層，那裏有大量陽光。在此之下是過渡帶（twilight zone），那兒只有少量光。午夜帶（midnight zone）裏面是一片漆黑的。在這個區域以下還有兩個更深的分層：深淵帶（abyss）及佈滿海溝的超深淵帶（trenche）。越往深海前進，便越少生命存在。

一些生活在午夜帶的海洋生物沒有眼睛，因為這裏完全黑暗，牠們不需要視覺。

8
魚兒為什麼會在黑暗中發光？
與詹姆斯·麥克萊恩一同作答

有些深海魚，例如燈籠魚會組成龐大的一組魚群（shoal）來一起游動。科學家認為牠們身體上發光的圓點圖案能幫助牠們識別彼此的身份，特別是在黑暗中。如果燈籠魚被追捕，牠能發出非常耀眼的閃光（有點像相機的閃光燈），令捕食者被混淆，讓燈籠魚有逃走的機會。

有些較大型的深海魚，例如巨口魚（dragonfish）和鮟鱇魚（anglerfish）會利用發光來捕捉食物。巨口魚的嘴巴下面長有肉質的捲鬚，稱為觸鬚（barbel），它的尖端會發光。巨口魚會在嘴巴周邊揮動這些發光的觸鬚以吸引較小的魚，然後——大口吃掉！

9

猴子怎麼會變成人類？

與朱莉婭·高爾韋—威瑟姆一同作答

我們今天所見到的猴子事實上不曾變成人類。相反，換個方式思考吧：假設你的媽媽有兄弟姐妹，而他們有子女，那些子女便是你的表兄弟姐妹。如果你的祖母有兄弟姐妹，而他們有孫子女，那些孩子便是你的遠房表親。今天的猴子便是與我們關係非常、非常、非常疏遠的表親。

人類和猴子有共同的祖先，牠大約生活在2,500萬年前。從那時開始，猴子和人類隨着時間的推移產生了變化，因此如今我們和猴子的樣子和行為都非常不同。700萬年前，我們祖先的腦部和身體開始改變，他們開始用兩腿走路，學會製作工具，並開始會說複雜的語言。同一時間，猴子也在不同的範疇裏出現轉變，因此我們今天看見的猴子與活在數百萬年前的那種猴子並不相同。

10
誰是我家族中的第一個人？

與亞當‧拉瑟福德一同作答

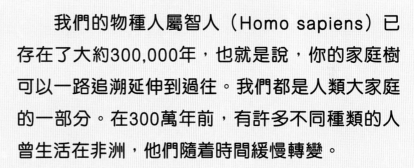

我們的物種人屬智人（Homo sapiens）已存在了大約300,000年，也就是說，你的家庭樹可以一路追溯延伸到過往。我們都是人類大家庭的一部分。在300萬年前，有許多不同種類的人曾生活在非洲，他們隨着時間緩慢轉變。

人類也是更大的家族——靈長類（primate）的一員，當中包括了大猩猩、黑猩猩和紅毛猩猩等。我們也能繼續回溯找到哺乳類動物的祖先，牠們曾與恐龍一同生活。在那之前，你的祖先是某種類似魚的生物，而再之前是類似蟲子的東西。最終我們可能一路追尋到生命本身的起點，那是大約40億年前一顆依附在海底火山岩石上的微小細胞。

11
最致命的鯊魚是哪一種？
為什麼？

與詹姆斯・麥克萊恩一同作答

大白鯊號稱是最致命的鯊魚，不過其他鯊魚殺死的人可能更多。你肯定不想進入有虎鯊（tiger shark）或公牛鯊（bull shark）的水域中。虎鯊被稱為海洋中的垃圾桶，因為牠們幾乎什麼都吃。公牛鯊體型較小，不過牠們可能更駭人，因為牠們會接近岸邊，並會沿着水流往上游。

我們對鯊魚的危險程度比鯊魚對我們的威脅大得多。不幸的是，每年都有數以百萬計的鯊魚被人類殺死。

12

瑜伽怎樣幫助你放鬆？

與塔拉·李一同作答

瑜伽能幫助我們感到更平靜、愉快和放鬆。瑜伽源自逾5,000年前的古印度。人們發現利用不同的動作，以及以特定的呼吸方式，便能改變他們的情緒與能量。呼吸是瑜伽的關鍵元素。任何人都可以試一試！將雙手放在你的肚子上，然後慢慢呼吸。你會感覺到自己的肚子在你吸氣時會像氣球一般脹起，並在你呼氣時變得扁扁的。在你放慢及加深呼吸大約1分鐘後，你有沒有感覺到放鬆了一點點呢？

13

有什麼動物能做到手倒立？

大熊貓能做到！牠們會在樹旁做手倒立，然後向樹木高處噴灑尿液，以標示自己的領域。在如此高的地方小便能令其他動物以為大熊貓肯定非常高大又強壯！斑點臭鼬（spotted skunk）有時候也會做手倒立後再向周圍噴出牠們臭氣沖天的分泌物，以將敵人嚇走。

14
黑洞裏面有什麼？
與道格・米勒德一同作答

黑洞裏有我們稱為「物質」（matter）的東西——它們構成了宇宙，不過由於物質非常多，阻止了光線逃出黑洞，令黑洞看來是黑色的。

15
為什麼網球比賽中0分會被叫作「Love」？

英語世界中，當網球手的得分是0時，人們會說那是「love」。原因可能是人們打網球是出於喜愛這種運動，因為他們真的很享受。如果網球手熱愛網球，他們會一直參與，即使他們沒有得到任何分數！

16
犀牛如何得到牠們的角？

犀牛角是由角蛋白組成的，就像人類的頭髮和指甲一樣。當犀牛只有數個月大時，便會冒出一小截角。有些犀牛也會長出第二隻角。健康的犀牛角能夠每年生長5厘米。

不幸的是，犀牛的生存正受到威脅，因為有些人認為犀牛角可以製作優質藥材，但沒有證據證明這是真的。我們必須保護犀牛。

17
為什麼松鼠喜歡吃堅果？

松鼠喜歡吃堅果，因為堅果富含脂肪養分，能令松鼠保持溫暖！牠們會吃橡子、核桃、胡桃、夏威夷豆、榛子和杏仁。松鼠會在天氣良好時將堅果埋好，到了冬天便將牠們的堅果寶藏挖出來。

松鼠有時會將堅果埋在不同的地方，好讓牠們有更多機會記起這些堅果在哪裏。任何牠們忘了挖出來的堅果都可能繼續成長，變成大樹。

18
第一棵植物是什麼？
與西蒙・圖默一同作答

科學家相信，地球上最早期的植物是大約10億年前在大海中出現的。它們非常小，它們也不像我們今天的植物，既沒有根部，也沒有葉子。

19
世界上最大和最小的島嶼
是哪一個？

世界上最大的海島是位於北冰洋的格陵蘭島，而世界上最小的島嶼之一是位於大西洋錫利群島（Isles of Scilly）的主教岩（Bishop Rock）。

20
小寶寶如何學會說話？
與查爾斯·費尼霍教授

嬰兒在他們尚未出生的時候，已掌握了大量關於語言的知識。到了大約3歲，兒童已經是他們所說的語言的專家！首先，想一想你聆聽別人說話時所聽到的各種各樣不同的聲音。接着，想一想世界各地的人所說的其他語言聽起來有多大的差異。年幼的小寶寶其實比我們更擅長於分辨這些不同的聲音。就像他們來到這世界時已知道組成語言的各種聲音，而經過一段時間後，他們學會專注於學習使用他們自身的語言時所需要的聲音，並忘記了其餘的聲音。到我們較年長時仍能學會新的語言，但當我們還是小寶寶時，我們特別擅長找出我們需要用來說話的聲音。

當你出生時，你的腦部已準備好學習說法語、普通話、斯瓦希里語（Swahili），或者任何其他語言。

21
人們為什麼有時會在說話時噴口水？

你有沒有留意過嘴巴裏那些類似水的液體呢？它稱為唾液（Saliva，又稱口水），能令我們的牙齒保持健康，並讓我們的嘴巴感覺舒適。它也能令食物在吞嚥前變得濕潤柔軟，幫助我們進食。通常人們說話時噴口水是因為他們的嘴巴裏有許多口水積聚。如果他們說話說得非常快，或者太過興奮，口水便可能噴出來了。

22
世界上最大棵的樹木
是哪一棵？

世界上最高的樹是一棵紅杉（coast redwood），名叫海伯利安（Hyperion），位於美國加州。它大約有600歲，幾乎有116米高。另外一棵名叫舍曼將軍（General Sherman）的巨人杉也位於加州，它長得較矮，但以容積計算——即是它所佔的所有空間，它是世界上最大的樹，需要大約18個人手牽手才能圍住它！

23
沙漠最危險之處是什麼？

　　沙漠裏有各種各樣的危機，包括沙塵暴、蠍子、蛇、脫水、曬傷，還有海市蜃樓，你以為自己看見水源，但其實水源並不在那裏！如果你因為流汗失去大量鹽分，你的雙腿、手臂和胃部都可能出現熱痙攣。你也可能在沙塵暴中迷失方向！如果你無法找到遮蔽處，最好的做法就是躺下來等待沙塵暴結束。不過要小心躲在草叢裏和岩石下的蛇！

24
蛇會喝掉自己的尿液嗎？

與尼克・卡魯索一同作答

蛇不會喝掉自己的尿液，因為那大部分都是由廢物組成的，喝了可能會令牠們生病。對蛇來說，要喝掉尿液是很困難的，因為它的尿液裏沒有太多水分。不同種類的蛇有不同的喝水方式。部分品種的蛇會從牠們嘴巴裏的一個小孔呼嚕嚕地啜飲，就像你用飲管喝飲料一般，而其他的蛇會透過下顎皮膚的皺摺吸水，就像海綿一樣。

25
種子裏面有什麼？

種子裏面是一棵植物寶寶，稱為胚（embryo），就像人類寶寶在媽媽的肚子裏開展新生命！種子擁有它變成成熟植物所需的一切——葉子、莖和根，還有食物。植物父母會在花朵、果實（例如覆盆子裏的小種子或是桃裏的大種子）或是毬果（例如松果）裏形成種子。

26
種子的外皮是
由什麼組成的？

與艾麗斯・福勒一同作答

種子的外皮或是種子的外殼是由許多不同的物質組成，它們都有奇特的科學名稱，例如纖維素（cellulose）、木質素（lignin）、澱粉質（starches）、纖維（fibre）和脂質（lipid）。這些物質聽起來相當複雜，不過它們令種子外皮非常堅固！由於種子裏有許多神奇的成分，它需要強韌的外皮來保護它避免在開始成長前便被飢餓的昆蟲蛀食，或者受到任何損傷。

27
動物會被太陽曬傷嗎？

鳥類通常靠牠們的羽毛保護牠們免被陽光曬傷，而爬蟲類動物則有鱗片保護，不過有些動物，例如大象、犀牛和豬等，可能會被太陽曬傷。即使鯨魚也有因為曬傷而皮膚出現水泡的記錄。有些動物想出巧妙的方法來避免曬傷。例如，長頸鹿擁有紫色的舌頭是為了避免進食時被曬傷。河馬會在臉上、耳朵及頸後分泌出粉紅色的液體，功效就像太陽油一樣，而大象會向背部和頭部撒上沙子來保護自己。

28
為什麼鳥類的
大便是白色的？

鳥類不像哺乳類動物般會小便。雖然不會排出尿液，但鳥類會產生出稱為尿酸（uric acid）的物質，那是白色的。鳥類會在排出糞便的同時排出尿酸，所有東西會混合在一起，通過牠們尾部下方的一個小孔排出來。那就是為什麼你能看見鳥類的糞便在一團白色的東西裏面──那其實不是白色的鳥類糞便，而是尿酸。

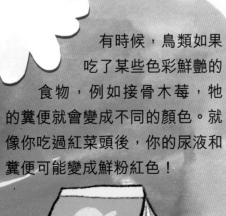

有時候，鳥類如果吃了某些色彩鮮艷的食物，例如接骨木莓，牠的糞便就會變成不同的顏色。就像你吃過紅菜頭後，你的尿液和糞便可能變成鮮粉紅色！

29
烏龜為什麼移動
得這麼慢？

烏龜不需要快速移動，因為牠們有堅硬的盔甲！動物通常會迅速移動是因為牠們需要追捕獵物，或是逃離捕獵者。烏龜擁有硬殼來保護自己的安全，因此沒必要匆忙地前行。

30
男孩子跑得比
女孩子快嗎？

男孩子和女孩子在年幼時跑得一樣快。當男孩子變成少年時，你可能發現他們跑得比少女快，那是由一種稱為睪固酮（testosterone）的化學物質所致。睪固酮會令身體發育，獲得更多肌肉，令身體跑動時更輕鬆，而男性的身體一般會製造出更多睪固酮。不過賽跑的路程越長或越艱難，女性便更可能跑得比男性快。

七月

七月

1
為什麼海浪會在海灘上破碎？

海浪通常會在水深等於浪高的1.3倍時破碎，因此它們不一定在海灘上破碎，但會在較淺水的海域破碎。海浪在哪兒破碎，要視乎海浪的大小與形狀，還有海灘的形狀，以及海灘由什麼東西形成等。一般而言，較小的海浪會在海灘上破碎，除非那是陡峭的海灘。當海浪在海灘上破碎時，便被稱為近岸破浪（shore break）或海灘破浪（beach break）。

強風與海上的風暴會產生能量，引起海浪。你也來親自試試創造海浪吧，拿來一碗水或找出一個水窪——在水面上吹氣，你會看見你的氣息在水裏掀起細小的波浪。

2
為什麼有些海灘布滿石塊，有些則充滿沙子？

與凱特·馬丁一同作答

即使許多海灘布滿了沙子，它們其實也是有大量石頭的。兩種海灘的唯一分別，就是有些有較大的石頭，例如鵝卵石，而有些則有我們稱為沙子的微小石頭。石頭的大小關乎它們從哪裏來，花了多長時間抵達海灘，還有海浪的力量，海浪翻騰時會令岩石崩裂。如果一顆石頭在抵達海灘前沒有在大海裏逗留太久，那它來到陸地時便是鵝卵石或者石塊。如果一顆石頭被海浪運送了很長的時間，它們最終來到沙灘時便會被侵蝕成沙子。

3
蠑螈怎樣重新長回身體缺失的部分？

與尼克·卡魯索一同作答

當蠑螈失去牠的尾巴、手臂或腿部時，牠的血液會凝結在一起，牠的皮膚會開始在傷口上生長。蠑螈的身體裏有微小的細胞，它們能夠快速分裂，以重建骨骼、肌肉、神經和其他組織，以長出新的肢體替代。

如果蠑螈被割傷了，牠們的細胞有時會變得有點過度焦慮，甚至在身體部分沒有缺損的情況下嘗試重新長出受傷的部分。那就是為什麼有些蠑螈可能有分叉的尾巴，甚至從同一條腿上冒出兩隻腳掌。

4
羅馬軍隊裏有多少個士兵？

與丹·斯諾一同作答

不同的時期，這支龐大的軍隊中士兵的人數也有很大不同。大約2,000年前，羅馬軍隊大約有400,000個士兵。這支軍隊是由很多較小的組織組成，稱為軍團（legion）。每個軍團大約有6,000個士兵。當中近5,000個是步兵，其餘的則是坐在馬上行進的騎兵、工程師，還有負責其他工作的士兵，例如煮食，以讓軍隊保持運作。

5
為什麼比薩斜塔傾斜了？

與尼克·羅斯一同作答

比薩斜塔傾斜了，是因為興建它的比薩人將它建在一片濕軟的土地上！比薩斜塔內有7個沉重的鐘，總重量接近15,000噸。比薩人在1173年開始興建這幢高塔，而由於它太重，到1178年建至第3層時，高塔已開始在潮濕的土地上傾側。由於中間發生了許多次戰爭和瘟疫，比薩斜塔經歷了334年才落成。如果你仔細看，你便會發現建築師在塔的一側加上更多石塊，以矯正傾斜的情況。

6

大黃蜂怎樣飛行？

與約翰·米欽森一同作答

蜂類不會上下拍動翅膀。牠們會將翅膀向前後移動，每一下都會稍微扭動翅膀，以產生稱為「升力」（lift）的力量。像人類讓自己在泳池裏浮起來一樣，我們的手臂會前後撥動，以阻止自己下沉。蜂類也會在空中用翅膀做出相同的動作，因為牠們比人類小得多，空氣對牠們來說感覺就像水一般。

大黃蜂移動翅膀的次數驚人，每秒多達130次！

7

蜜蜂怎樣製造蜜糖？

與艾登·奧漢隆一同作答

蜜蜂最初會喝下花朵中一種含糖的液體，稱為花蜜。接着，牠會飛回蜂巢中，將花蜜裝在牠的第2個胃——蜜胃（honey stomach）裏面！蜂巢裏的蜜蜂會口對口地將花蜜傳遞出去，直至花蜜最終變成了蜜糖。蜜蜂會將蜜糖儲存在蜂窩裏的巢室中，並為每個巢室製造一個蜂蠟蓋子，就像用蜂蠟製成的小碗一般。一瓶蜜糖可能需要1,000隻蜜蜂合力製造！

8
為什麼蜜蜂會建築六角形而不是其他形狀的蜂巢？

如果你觀察蜂巢，你會發現蜂窩是由六角形組成。不過蜜蜂並沒有將蜂窩的孔洞建造成六角形——牠們其實將每個孔洞建成圓形的管子。當蜜蜂工作時，牠們會產生熱力，令蜂蠟變得柔軟，然後蜂蠟便會在孔洞之間流動。當工蜂離去，或是停止建造蜂巢時，蜂蠟便會冷卻，最後形成六角形的模樣！

9
蜂后的體形是不是比其他的蜜蜂更大？

對，蜂后的體形比蜂巢裏的其他蜜蜂都要大，牠們也會活得更久！

10
為什麼會有蜂后？

蜂后並不會坐在王座上，也不會戴着后冠，不過牠通常是蜂巢裏唯一會產卵的蜜蜂。當蜂后無法再產卵時，工蜂便會培養出新的蜂后。新的蜂后最初是一顆卵子，像其他所有的蜜蜂一樣，不過牠只吃蜜蜂的乳汁，那也被稱為「蜂王漿」。

蜂王漿看起來就像白色的鼻涕，它是從工蜂的頭部冒出來的。蜂王漿是由水、特殊的蛋白質和糖組成，有助年幼的蜜蜂成長為蜂后。

11
寶寶是從何而來的？

與瑪麗娜・福格爾一同作答

寶寶是在稱為子宮（uterus，有時也會稱為 womb）的身體部位成形的。整個過程開始於一個成年人身體裏稱為精子的東西，與來自另一個成年人身體的卵子相遇。這有時候會形成一個胚胎，那就是寶寶的雛形了。胚胎最開始是一小團細胞，它們小得需要用顯微鏡才能看得見！

在他們成長期間，寶寶會從成年人的身體裏獲得發育所需要的一切，例如食物和氧氣。他們會透過一根稱為臍帶（umbilical cord）的小帶子來獲取這些東西，臍帶透過寶寶的肚臍與寶寶連結。

9個月後，寶寶便準備出生，來到這個世界上。

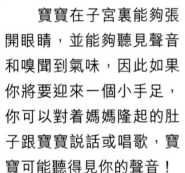

寶寶在子宮裏能夠張開眼睛，並能夠聽見聲音和嗅聞到氣味，因此如果你將要迎來一個小手足，你可以對着媽媽隆起的肚子跟寶寶説話或唱歌，寶寶可能聽得見你的聲音！

這是一個大問題，嬰兒可以通過許多不同的方式來到這個世界。如果你有更多的問題，最好去問問成年人。

12
同卵雙胞胎是如何出現的？

與克里斯．范圖勒肯醫生一同作答

同卵雙胞胎成長的過程與其他寶寶是一樣的！當一顆精子和一顆卵子結合在一起後，它們便會製造新的細胞，稱為合子（zygote），裏面有完整的指令來將它變成一個嬰兒。這個細胞不斷成長，然後分裂成兩半，製造出兩個細胞。這些細胞會接着成長和分裂，最終形成數萬億個細胞，構成寶寶的整個身體。

至於同卵雙胞胎的成長過程也是從一小團細胞開始。不過，這團細胞很早便分成兩半，而兩小團細胞會各自變成一個嬰兒。這意味着同卵雙胞胎擁有完全相同的成長指令，因此兩個寶寶會有相同的眼睛顏色和髮色，他們有許多地方都會非常相似。

13
為什麼尿液是黃色的？

要了解為什麼尿液是黃色的，我們就從身體如何製造尿液開始說起吧。當血液流經你的腎臟時，水和其他有用的物質會返回你的血液裏。廢物會被分隔出來，與水混合並變成尿液。尿液會流到你的膀胱裏，而當膀胱滿了，你便要跑到廁所！尿液的黃色是來自一種稱為尿色素（urochrome）的色素，是身體清除紅血球細胞時殘餘的物質。它有點像食物色素，你加入越多水分，它的顏色便會越淡。

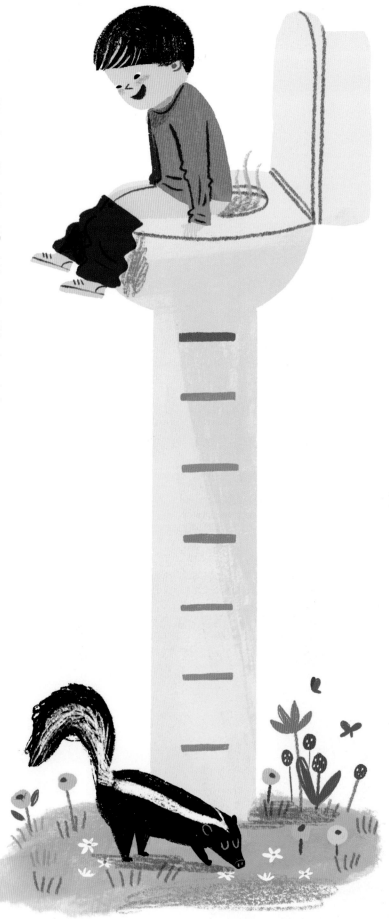

14
為什麼我的糞便是臭的？

糞便是由食物、細菌、黏液及你的身體不再需要的已死細胞組成。糞便嗅起來有一點臭是由細菌所致，但如果糞便嗅起來臭氣沖天，那可能它留在你的身體裏太長時間了！有些食物會令糞便變得特別臭，尤其是為細菌提供食物，並令細菌釋出臭氣的糖，還有含有硫的食物，例如肉類和豆芽。

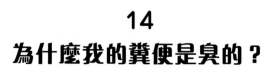

15

太陽是一顆恆星嗎？

沒錯！太陽是一團燃燒中的氣體，也叫恆星，位於我們的太陽系中心。太陽看起來與其他在夜空看見的閃爍恆星不同，是因為它跟地球的距離近得多。

16

為什麼太陽會變成一顆紅巨星？

與埃米·戴維一同作答

塞西莉亞·佩恩—加波斯金（Cecilia Payne-Gaposchkin）是第一個發現太陽主要由氦氣（helium）及大量氫氣（hydrogen）組成的人。氫氣能夠非常猛烈地燃燒。在未來大約50億至60億年裏，太陽核心的氫氣便會耗盡，並開始燃燒外層的氫氣。這會令太陽變得越來越巨大，最終變成一顆紅巨星！

17

為什麼有些國家很熱，有些很冷？

來自太陽的溫度並不是平均地抵達地球各處。地球的中間部分被稱為赤道（equator），靠近那裏的國家會非常溫暖，因為陽光直接照射着它們。而地球的頂部和底部則寒冷得多，因為陽光只能傾斜地照射到那裏。

七月

太陽距離我們大約1.5億公里，不過它的光只需8分19秒便能抵達我們身邊。因此，讓你的臉孔感到溫暖的陽光其實只是在8分鐘前才離開太陽，並穿越廣袤的太空照射到你身上！

沒有了太陽，地球上便不會有生命。太陽有助植物成長，並向人類提供維他命D，讓我們的骨骼和牙齒保持健康。

18
為什麼孔雀這麼嘈吵？

孔雀身陷險境時會發出嘈吵的聲音。雄性孔雀想生孩子時也會向雌性孔雀呼叫。一些野生孔雀生活在印度的樹林裏，牠們高亢的叫聲在樹林中會變得低沉，因此牠們需要大聲一點才能被聽見。

19
智慧齒有什麼用處？

以前，人類會進食大量粗糙的食物，例如葉子、根部、堅果和肉類。這些食物需要多加咀嚼，並導致我們祖先的牙齒磨損，因此他們需要額外4顆牙齒。如今我們吃的食物都比較軟，咀嚼需要的力量也較小，而且我們有工具來切細我們的食物，也就是說其實我們不再需要智慧齒了！

20
第一隊消防隊是
在什麼時候建立的？

人們第一次想到將人聚集在一起，有組織地對抗火災，是在古羅馬時期。第一隊消防隊有500名成員。他們為一位男士工作，而這位男士在下令救火前，會問燃燒中的建築物業主是否願意低價出售他們的建築物。如果業主同意，消防隊便會將火撲熄。如果業主拒絕，消防隊便不會救火。

21
為什麼我們會將結婚戒指戴在特定的手指上？

在許多國家，已婚人士會在他們左手的無名指（ring finger）——位於尾指旁的手指上戴上結婚戒指。很久以前，人們認為有一根神經會從無名指延伸至心臟。在拉丁語中，那根神經被稱為 vena amoris——意思是愛的脈絡。

22
為什麼兔子會吃掉自己的糞便？

糞便對兔子來說營養非常豐富！牠們會排出細小的糞便，那看來像閃亮的綠色葡萄，裏面充滿了細菌和維他命。兔子會從屁股那兒啃咬糞便，並從中獲得許多有益的東西。

23
為什麼辣椒這麼辣？
最辣的辣椒是哪一種？

辣椒是辣的，因為它們含有辣椒素（capsaicin）。辣椒素沒有味道，不過它會令你的嘴吧和喉嚨中感知熱力的部分向腦部傳送信息。辣椒附着種子的白色部位其實是最辣的。世界上最辣的辣椒是卡羅萊納死神辣椒（Carolina Reaper），它比墨西哥辣椒辣300倍！

24
為什麼人類會由許多水組成？

到你成年時，你會由多達60%的水分組成。我們需要每天喝水。水分餵養我們身體裏的所有細胞，在我們熱時幫助我們流汗散熱，令養分在我們的血液裏到處流動，在尿液中沖走我們不需要的東西，令我們的關節能順滑地移動，水分也在我們的腦部和脊髓中保護它們。

25
蘋果裏有多少水分？

蘋果含有大約86%水分，因此當你口渴時，它們是很適合進食的！

這裏有一個實驗來量度蘋果裏有多少水分。請一位成年人將一個蘋果切成小塊。為每一塊蘋果稱重，並將它的重量寫下來。用繩子綁住每一塊蘋果，並將它們掛起來風乾。兩天後，再次量度蘋果的重量，並重覆這個程序一星期。接着，將所有蘋果塊最初的重量加在一起。然後將蘋果塊最後的重量加在一起。將蘋果塊最初的總重量減去最後的總重量，你便能大概知道蘋果裏面有多少水分！

世界上最早期的銀行，位於古代西亞的美索不達米亞地區中的神廟。人們會將神廟作為保管物品的安全地點。

時至今日，英國最大的鈔票被稱為「大力神」（Titan），它們的面積等同一張A4紙。這種鈔票被保存在英倫銀行裏，價值達到1億鎊！

26
金錢從何而來？

今時今日，我們會使用硬幣、鈔票和銀行卡來買東西。不過在古時，人們會用物品來換取其他物品——從貝殼，到羽毛，甚至金屬不等。最早期的硬幣是在古國呂底亞（Lydia）流通的，位於現今的土耳其。這種硬幣有不同的大小，上面印有獅子的圖案。

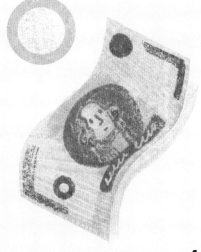

27
為什麼坐過山車會令
你的肚子不舒服？

當你越過過山車軌道的高峰時，你的身體會突然大幅度地改變方向，從向上爬升變成急速往下俯衝。你可能發覺自己稍微騰空離開了坐位。在這一刻，你正處於稱為自由落體（freefall）的狀態中。就像在太空裏的太空人一樣，彷彿你正在飄浮。在自由落體中，你胃部協助消化食物的部分承受的壓力較平常小，它們好像在你的身體裏飄浮。這會令你的肚子有點翻騰不適。

28
誰製作了第一根棉花糖？

棉花糖最初是在15世界由意大利的廚師製作出來的。他們煮融一些糖，用叉子和木製的掃帚把手來將糖塑造成各種形狀。第一根由機器製作出來的棉花糖是由牙醫威廉·莫里森（William Morrison）和糕點師約翰·C·沃頓（John C. Wharton）於1897年發明的。他們將之稱為「仙子絲線」，並在1904年聖路易斯世界博覽會（St Louis World's Fair）上首次發售，這次博覽會舉行了7個月，接近2,000萬人到訪，而莫里森等人售出了68,655盒仙子絲線！

29
為什麼大海是鹹的？

與菲利普·霍爾教授一同作答

當雨水降在陸地上時，它會溶解岩石裏的鹽，將這些鹽從陸地上沖走，並流進大海。大海裏有5億億噸鹽。如果海裏的水全都乾涸了，而你將海裏的鹽散布在地球上，形成的鹽層將會有200米厚。不過我們不想出現那種情況，因為對鯨類和魚類或水母來說那會成為嚴重的問題。大海裏的鹽真是非常好的東西！

30
為什麼你能夠在
海上浮起來，
但在泳池裏卻不行？

與菲利普·霍爾教授一同作答

當你在泳池裏游泳時，要浮起來並不是非常容易。不過如果你在海裏游泳，水裏的鹽會支撐着你，令你浮起來。你會像一個松木酒塞般搖搖晃晃！

在以色列和約旦的邊界之間有一個湖，稱為死海。那裏的水含有許多鹽，能讓你浮起來，彷彿身處雲朵之上！

31
誰想出獨角獸的概念？

數千年前，一隻奇妙的一角生物在中國和印度的故事中出現了。後來這個概念傳播到歐洲，「獨角獸」（unicorn）這個名字便誕生了。Unicorn來自兩個拉丁文詞語：uni，意思是一；還有cornu，意思是角。

第一個記述關於擁有一隻角、類似馬的動物的人，是公元前4世紀的古希臘醫生和歷史學家克特西亞斯（Ctesias）。後來的歷史學家認為，克特西亞斯描述的很可能是有一隻角的印度犀牛。不過在這之後，獨角獸的外形和大小都經常改變。

很久以前，人們常常殺害海洋裏的一角鯨，以獲取牠們的獠牙。商人將獠牙出售，人們相信這些獠牙是從獨角獸身上而來、擁有神奇魔力！

八月

八月

1
為什麼蝴蝶的翅膀上有圖案？

蝴蝶的翅膀上漂亮的圖案和色彩可以讓牠們與周遭的環境融為一體，避免被敵人吃掉。同時，這些圖案也能吸引其他蝴蝶。

雌性的非洲白鳳蝶（African mocker swallowtail butterfly）能夠假裝成14種不同的有毒蝴蝶品種。牠會複製其他蝴蝶的翅膀圖案來保護自己。

帝王蝶是橙色和黑色的。在自然界，這些顏色代表警告：「別碰我——我可能是有毒的！」

郵差蝴蝶的翅膀上的
紅色條紋，可以令牠們找
到彼此。

有些蝴蝶的翅膀上有眼點（eyespot），當別的
動物望向牠們時，會誤以為自己正與一隻體型比自
己大得多的動物對視！貓頭鷹環蝶（owl butterfly）
的翅膀上有類似貓頭鷹眼睛的圖案。牠也擁有藍色
和橙色的鱗片，牠們會向捕獵者閃動鱗片，這令貓
頭鷹環蝶有數秒時間逃走！

蝴蝶也會用牠們的翅膀來吸引
其他蝴蝶。大藍閃蝶（blue morpho
butterfly）擁有鮮艷的藍色翅膀，當
牠尋找伴侶時便會炫耀翅膀。

世界各地有許多不同的方式和系統來書寫數字！你會如何書寫數字呢？

2
是誰想出數字1、2、3⋯⋯的名稱？為什麼他們選擇使用這些數字？

與馬庫斯·杜索托伊一同作答

我們其實並不肯定為什麼人們給數字現有的名稱，不過我們確實知道一些人們早期書寫數字的故事。每一種語言中的數字都有不同的名稱，數字1、2、3等來源於印度。它被稱為印度——阿拉伯數字系統（Hindu-Arabic numeral system），因為它是由中東的數學家帶到歐洲的。人們今天書寫這些數字的方式，也可能與古馬雅文化中繪畫圓點的概念有關。馬雅人會以圓點和線條來代表數字。

這與你今天書寫數字的方式可能有點相似。例如，你畫出兩點，並用一個小圈將它們連起來，並加上一條尾巴，便會得到數字2。如果你在一條垂直線上畫出3點，並將它們用兩個小圈連接起來，你便會得到數字3，而你能藉由連接4點來代表數字4。

古埃及人會使用象形文字。數字100會以一綑繩子來代表，10,000是一根手指，而100,000是一隻青蛙。

3
為什麼鎚頭鯊的頭部形狀就像鎚子一樣？

與詹姆斯·麥克萊恩一同作答

很多人認為，頭部呈鎚子狀能幫助牠們找出被埋住的食物。鎚子的下方布滿了數以千計微小的器官，稱為羅倫氏壺腹（ampullae of Lorenzini），這是以發現它們的人來命名的。鎚頭鯊會以這些器官來感知電力！所有動物移動牠們的肌肉時都會產生出微量電力，而鎚頭鯊的鎚子非常敏感，能夠偵測到埋在沙堆裏的魚兒最細微的動靜。

鎚頭鯊最愛吃比目魚和魟魚！

4
龍捲風是從哪裏來的？

與克里斯·奇蒂克一同作答

龍捲風來自風暴系統。形成良好風暴系統的秘訣有點像烤蛋糕──你需要把所有材料一口氣混在一起！你需要把寒冷、乾燥的空氣與溫暖、潮濕的空氣結合，然後與溫暖、乾燥的空氣碰撞。同時，風暴系統也常吸引龍捲風追蹤者跟隨，因為龍捲風可能突然從風暴系統中冒出來！

5

哪一種動物的心跳最快？

小臭鼩（Etruscan shrew）的心跳非常快——每秒鐘多達25次！按體重計算，牠是世界上最小的哺乳類動物，只會存活大約兩年。

6

為什麼蜜蜂會發出嗡嗡聲？

當蜜蜂拍動翅膀來飛行時，翅膀會造成空氣的流動，我們聽起來就是嗡嗡聲。有些蜂類，例如大黃蜂等會透過振動身體的中央來發出嗡嗡聲。大黃蜂會快速移動自己的翅膀和身體，以將花粉從花朵上抖落，掉到自己的身體上。接着，牠會將花粉帶回蜂巢去餵養大黃蜂寶寶，並在牠飛行時將花粉散播給其他花朵。這被稱為振動授粉（buzz pollination）。

7

最大的貓頭鷹是什麼品種？

最重的貓頭鷹是毛腿漁鴞（Blakiston's fish owl），牠的翼展長達2米，重量多達4.6公斤，那大約等同一隻貓的體重。

即使牠的體型與一個小孩子差不多，但毛腿漁鴞比小孩子輕盈得多，因為鳥類的骨頭非常輕。

8
塑膠是由什麼製成的？
為什麼塑膠對環境有害？

塑膠是由石油製成的。石油是一種黏稠的物質，是人們從地底下挖掘出來的。塑膠也可能由天然氣製成。塑膠能夠製成任何形狀，你可以在玩具、杯子、瓶子、尿片、汽車，甚至香口膠裏找到塑膠！不過儘管塑膠非常有用，但它對環境的害處也很大，因為塑膠難以清除，可能對動物構成危害。

9
外星人存在嗎？
與道格‧米勒德一同作答

要是我們知道答案那有多好！我們不曾看見任何外星人，我們不曾聽見任何外星人的聲音，而據我們所知，外星人不曾到訪地球。因此，恐怕我們還未能得知真相……

10
我們為何發明了飛機，
但沒有發明懸浮板？
與道格‧米勒德一同作答

在2019年夏季，一名法國發明家利用某種懸浮板飛越了英倫海峽。因此懸浮板算是已經發明了，這個構念亦是可行的，不過製造它們的成本太昂貴了。也許在未來它們會變得較便宜，然後我們全都能乘坐它們風馳電掣地去往世界各地！

11

美人魚怎樣小便？

美人魚是神話中的生物，腰部以上像人類，但擁有類似魚的尾巴，而不是雙腿。因此牠們很可能像魚類一樣小便！魚類會透過鰓部，或是一個稱為泌尿孔（urinary pore）的小洞小便。美人魚大概沒有鰓部，因此牠們最可能通過泌尿孔來小便。

美人魚可能也會像魚類那般大便呢。魚類會從尾巴附近的一個小孔裏排出糞便。如果你長時間觀察金魚游來游去，你很可能曾看見一根長長的繩子在牠們的身體下方漂蕩——那就是牠的糞便！

12

哪一種魚離開水還能生存？

太平洋高冠䲁（Pacific leaping blenny）是一種熱帶魚，牠一輩子都活在水外。利用自己的尾巴和魚鰭，高冠䲁能夠跳躍比自己身體長數倍的距離。牠一直需要保持濕潤才能呼吸，因此牠會留在大海附近，令自己能被海洋飛沫濺濕。

13
為什麼有些人是左撇子，有些人是右撇子？

人類大約有85%是右撇子，15%是左撇子。科學家仍在嘗試找出為什麼大部分人類都傾向使用自己的右手。有些科學家認為，人類出生時使用兩隻手的能力很可能是相等的，他們會根據使用哪一隻手讓自己感到舒服，以及被教導或鼓勵的用手方式，而決定成為左撇子或右撇子。

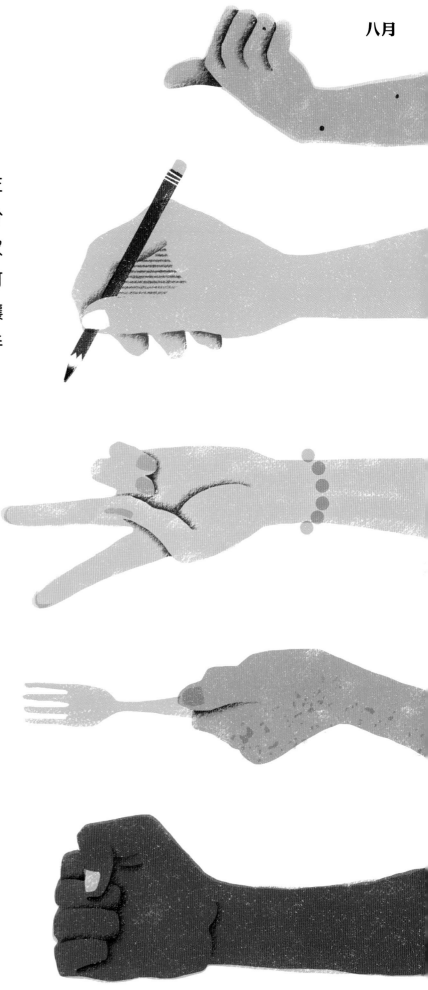

以往成為左撇子被視為異類，不過如今我們知道那想法完全不正確。有些人甚至是能夠左右開弓的（ambidextrous），即他們能夠同樣靈活地使用右手和左手。你可以隨意使用自己覺得最舒服的那隻手。

國際左撇子日定於每年的8月13日。世界上有許多著名的左撇子，包括美國前總統奧巴馬（Barack Obama）、歌星 Lady Gaga、登月太空人岩士唐（Neil Armstrong）、名嘴奧花雲費（Oprah Winfrey）、文藝復興藝術大師達文西（Leonardo da Vinci）、科學家瑪麗居禮（Marie Curie），和網球好手拿度（Rafael Nadal）。

14
為什麼人類是雜食性動物？

與克里斯‧范圖勒肯醫生一同作答

當第一棵植物出現時，草食性動物（herbivor，以植物為主食的動物）也出現了。慢慢地，部分草食性動物開始吃其他動物。吃肉是獲取營養和能量更有效率的方法。有些動物，例如牛，只吃植物。我們的祖先很可能最開始主要吃植物為生，直至數百萬年前，他們開始更頻繁地捕獵，也開始煮食。除了人類沒有其他動物會煮食，那會令食物釋放出更多能量。

時至今日，多元化的飲食仍是非常重要的，但同樣要記得我們其實不需要吃肉。人類不吃肉也能夠生存很長時間，而不進食任何動物製品的純素食也能讓我們保持健康。

打嗝通常不會持續太久，不過如果你真的開始打嗝了，試試呷一口冷水，或者咬一口檸檬來趕跑打嗝。

15
為什麼我們會打嗝？

在肋骨下方有一塊肌肉，能幫助你呼吸，稱為橫隔膜（diaphragm）。當你的橫隔膜收縮時，你便會打嗝。這會令你的聲帶關閉，因此你會發出「噎」的一聲。醫生認為打嗝有幾個成因，例如感受到壓力或興奮，大量吃喝（特別是快速地吃喝時）或是喝有氣飲料。咀嚼香口膠也可能令你打嗝，因為當你咀嚼時可能會吞進空氣。打嗝是身體將空氣排出體外的方式。

16
為什麼貓會發出
呼嚕嚕的聲音？

貓常常會在牠們感到平靜時發出呼嚕嚕的聲音，例如當牠們窩在某個人的大腿上時。不過貓在緊張、害怕或感受到壓力時也會發出呼嚕嚕的聲音。高音的呼嚕聲聽起來有點像喵喵叫，可能代表貓想要食物或者獲得注意。這些聲音稱為「懇求的呼嚕聲」，因為貓想要某些東西時會發出這種聲音。在野外，貓經常會在為同伴梳理毛髮時發出呼嚕聲。貓類專家認為呼嚕聲有治療作用，對貓的身體有益，因為這些振動有助貓的骨骼生長及肌肉復原。

17
為什麼狗開心時會搖尾巴？

狗會藉由搖尾巴來表達各種各樣的情緒。搖尾巴的角度能夠讓我們了解狗隻的感受。

舉例說，向右邊搖尾巴可能代表牠們感到快樂，而向左邊搖尾巴可能因為牠們感受到一些負面的情緒。狗隻能夠看見其他狗隻搖尾巴，當牠們看見向右搖動的尾巴時可能感到放鬆，而當牠們看見向左搖動的尾巴時，便可能緊張起來。

18
為什麼我們一定要去睡覺？
與薇姬・道森一同作答

一夜好眠意味着你有好好休息，能夠盡情享受第二天的生活。睡眠也能夠幫助你的身體復原。這有利於我們的腦部，如果我們睡得好，我們在學校的表現也會更好。得到充足的睡眠就像擁有秘密的超能力！

19
牙齒是由什麼組成的？

牙齒是由4種東西組成的：牙髓、齒質、琺瑯質和白堊質。牙髓位於牙齒中央，充滿了神經和血管。齒質很堅硬，帶有黃色，包裹住牙髓。琺瑯質是身體裏最堅硬的東西，它會保護你的牙齒。白堊質覆蓋着位於牙齦下面的牙齒根部，並令你的牙齒固定在正確位置。

20
為什麼牙齒仙子會來
收集我的牙齒？

也許牙齒仙子想要用你的牙齒來建築她的仙子宮殿——她也許會用牙齒當作磚塊，就像我們建房子時一樣！

21
誰製造出第一杯雪糕？

我們並不確定誰製作出最初的雪糕，但它可能是大約公元前500年在波斯（現稱伊朗）製成的。波斯的雪糕由冰與夏季獨有的食材混合，例如玫瑰水、開心果、番紅花和水果等。波斯人也會在雪上倒上水果糖漿。古中國與古希臘稍後亦發展出自己的冰凍點心。在16世紀，一種冷凍牛奶加上開心果製成的甜品 kulfi 在印度面世了。歐洲國家大約在17至18世紀時也開始製造雪糕了。

你知道雪糕有四分之一是空氣嗎？因此無論是什麼口味的雪糕，空氣都是其中一種主要的材料！

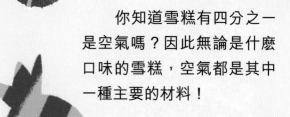

22
為什麼我們吃雪糕時
會出現腦凍結？

有時候你吃雪糕可能會頭痛，這種頭痛被稱為「腦凍結」（brain freeze）。當冰凍的雪糕撞上你口腔的頂部時，低溫會令那個位置的血管收縮，因此你的身體會輸送出溫暖的血液來抵消寒冷。血液流動的迅速變化可能會引起頭痛，不過我們還不能肯定。

不是所有人都會出現腦凍結，不過如果那發生在你身上，試試不讓雪糕接觸口腔頂部，那可能有幫助。

23
誰發明了朱古力？

可能是很久以前生活在北美洲的奧爾梅克人（Olmec）發明了朱古力。朱古力來自一種小型樹的種子，這種樹稱為可可樹（cacao）。這種植物的種子稱為可可豆。奧爾梅克人會將磨碎了的可可豆與水混合，製作出朱古力飲料。一個公元600年前、由奧爾梅克人製造的古老水壺中，仍存留着微量的可可痕跡呢！

24
為什麼糖果對你有害？

糖果是由糖製成的，如果你吃了太多糖果，身體便會將它不需要的糖儲存起來。這會導致脂肪在你的身體裏積聚，可能在你變得更年長時引發心臟問題。吃太多糖果可能會令你興奮，感到充滿能量，不過你很快便會覺得疲累不堪，並想吃更多糖。這會令你血液裏的糖分水平不斷升降，那不利於身體健康。

吃太多糖果也可能會令你的牙齒被蛀壞。如果你仍擁有乳齒，下次當有一顆乳齒掉落時，你可以將它放進一杯有氣飲料裏，看看會發生什麼事！

25

為什麼我們只能
看見月球的一面？

與道格·米勒德一同作答

月球會自轉，就像地球自轉一樣，不過月球自轉的速度與它圍繞地球運轉的速度相同。因此，地球與月球的活動令我們總是看見月球的同一面！

26

為什麼我們白天
也會看見月球？

與薩拉·羅素教授一同作答

月球其實白天和晚上都在我們身邊。月球會繞着地球旋轉一圈又一圈，每27.3天便完成一整圈。在部分日子裏，月球會出現在地球面對太陽的那一面，因此我們在白天也能看見月球。有時候月球位於地球的另一面並遠離太陽，所以我們只會在晚間看見它。

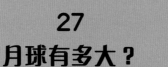

27

月球有多大？

月球的表面面積合共約3,781萬平方公里。如果月球和地球都是皮球，地球大約是籃球的大小，而月球則是一個網球！

28
白色的沙是從哪裏來的？

許多位於馬爾代夫的白色沙灘其實都是由鸚哥魚的糞便組成的！鸚哥魚有堅硬的牙齒，因此牠們能將珊瑚吃掉。鸚哥魚吃珊瑚時，牠們的糞便會呈白沙狀排出。在馬爾代夫珊瑚礁周邊的島嶼中，大約85%的沙子都是鸚哥魚的糞便。夏威夷的白色沙灘也是由鸚哥魚的糞便組成的呢。

單單一尾鸚哥魚每年便能產生大約450公斤的白沙，因此保護牠們對保護島嶼周邊的海灘不可或缺。

29
為什麼鸚哥魚會在黏液製成的泡泡裏睡覺？

鸚哥魚晚上要去睡覺時，會用黏液又或是鼻涕製造出一個泡泡，在裏面睡覺。鸚哥魚黏乎乎的泡泡能阻止生活在珊瑚礁上的寄生蟲在牠好夢正酣時啃咬牠。白天，這些寄生蟲會被清潔魚吃掉，不過晚上清潔魚也睡覺了。因此，鸚哥魚便利用位於牠鰓部的特殊腺體來炮製鼻涕泡泡，作為保護自己的方法。

30
你為何會觸電？

世界上的一切事物都是由稱為原子（atom）的微小東西組成的，而原子則是由稱為質子（proton）、電子（electron）和中子（neutron）的更微小的東西組成。大多時，原子裏會有相同數量的電子和質子。當這些東西失去平衡，電子從一顆原子跳到另一顆原子時，原子便變成「帶電荷」的——那會令原子想將額外的電子傳送給其他某些東西（或是某些人）。

如果你雙腳沿着羊毛地氈摩擦，你的體內便會積聚了一些電荷，因為你拾起了額外的電子。接着你碰一下金屬門柄，你可能會感到一陣微小的觸電感。這是額外的電子正離開你的身體。

31
電力是如何傳送的？

與丹尼爾·喬治教授一同作答

電是一種能量。它是電子的流動，並能透過電線移動。電子的流動被稱為電流，而電子只會在有東西給它一點推動力時流動。這些推動力可能是來自電池，也可能來自電源插座。試想像你有一個燈膽，它有兩根電線懸下來。如果你要在兩根電線之間放上一顆電池，將兩根電線連接起來，電池便會推動電子流過電線，並令燈泡亮起來！

九月

九月

1
為什麼大猩猩族長背上有銀色的毛？

年輕的雄性山地大猩猩被稱為黑背。等到牠們成長到大約12歲，背上的毛髮就慢慢變成銀色。這能讓其他山地大猩猩知道牠們是成年的雄性。較年長的雄性山地大猩猩被稱為銀背，不過每個山地大猩猩家族中只有一個領袖。

成為了族長的銀背山地大猩猩一般都是最強壯的。牠負責決策、調解紛爭、擊退敵人、尋找食物、在安全的地方建造巢穴，還要協助保護山地大猩猩寶寶。這真是忙碌的生活呀！

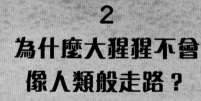

2
為什麼大猩猩不會像人類般走路？

與戈登·布坎南一同作答

最簡單的答案是大猩猩的構造並不適合像我們一般走路。人類擁有又長又重的雙腿，而我們上半身較細小。大猩猩上半身很健碩，還長有粗長的手臂，但牠們的雙腿又短又粗。人們曾經認為短腿能幫助大猩猩攀爬，不過牠們寧願坐下來，並用自己粗壯的長臂來抓食物。

3
大猩猩晚上會在哪裏睡覺？

大猩猩會在叢林裏由樹枝和樹葉築成的巢穴中睡覺。有些大猩猩會將巢穴建在樹木的高處，有些則會將巢穴建在較低的地方——那有點像是大猩猩的上下鋪！大猩猩族長銀背通常會睡在地面上，他要做好準備隨時保護家族成員。

大猩猩寶寶大約3歲時便會透過觀察成年大猩猩來學習如何建造巢穴。在那之前，大猩猩寶寶會和媽媽共住一個巢穴——至少在一個新寶寶降臨之前！

4
誰是第一位國王和女王？

與賈斯廷．波拉德一同作答

國王和王后可能遠在人們有記錄之前已經存在，因此我們也許不知道答案！

我們從紀錄所知的第一位國王名叫恩美巴拉格西（Enmebaragesi）。他在大約4,700年前統治了中東古文明蘇美爾（Sumer）的城市基什（Kish）。恩美巴拉格西是古代文獻蘇美爾王表（Sumerian King List）記載的國王中，第一位我們確信他存在過的國王。考古學家曾發現水壺碎片及其他文物上有他的名字。

恩美巴拉格西在文獻中被描述為lugal，在蘇美爾語中的意思是「偉大的人」，因此我們認為這個詞語可能是指「國王」。

歷史學家相信，第一位女王很可能是埃及人，且最可能是一名法老，名叫塞貝克涅弗魯（Sobekneferu），她在3,800多年前統治埃及。

5
為什麼有些人睡覺時會說夢話？

晚上，我們會有睡眠周期——我們會從淺眠到熟睡，然後進入會做夢的睡眠狀態，稱為快速眼動睡眠（REM sleep）。REM代表快速眼部活動，因為在這個狀態中，我們的眼睛即使閉上了，仍然會轉來轉去。通常人們會在較淺眠時說夢話，那時候腦部的一小部分是醒着的。

許多小孩子睡覺時會說夢話，那是正常的。說夢話有一個正式的名字，稱為夢囈（somniloquy）。事實上，人們睡覺時會做很多事情，例如大笑、呻吟，甚至吹口哨！

6
為什麼我們會夢遊？

夢遊一般發生在睡眠最初的數小時，當你的腦電波非常緩慢的時候，你的身體可能會繼續移動，但你的腦部卻昏昏欲睡。專家並不確定為什麼有些人會夢遊，但他們知道夢遊較常發生在兒童身上。一種令你生長的特殊化學物質也可能會令你醒來。夢遊可能在你感到擔心，或者發燒，或者你被巨大的聲響吵醒時發生。

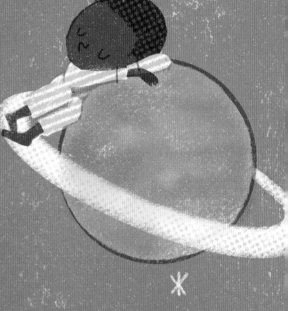

如果你看見有人在夢遊，最好的做法是溫柔地引導他們返回床上，而他們很可能會再次安穩地沉睡。

7

為什麼星星會飛？

與道格‧米勒德一同作答

太空裏有許多細小的塵埃，它們會在宇宙中到處穿梭，有時它們飛向地球。當塵埃撞上了地球的大氣層，塵埃會燃燒起來，形成流星。你看見的流星每一顆都可能在太空飛行了數百萬甚至數億年！

8

獅子晚上會在哪裏睡覺？

獅子大多在白天睡覺。牠們大部分生活在非洲的草原，還有印度的吉爾森林（Gir Forest）。牠們大多喜歡睡在陰暗處，因為牠們居住的地方通常都很炎熱。

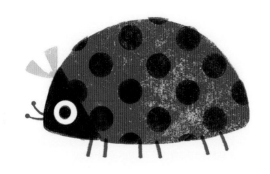

9

瓢蟲生日時會多得到一顆斑點嗎？

遺憾的是，瓢蟲生日時不會多長出一顆斑點，因此你不能藉由計算牠們的斑點來確定牠們的年紀。每種瓢蟲品種通常有不同數量的斑點。二十四星瓢蟲擁有多達24顆斑點，但肯定不是24歲！大部分瓢蟲只會生存2至3年，因此牠們只有數次生日。有些瓢蟲甚至完全沒有斑點！

10
一條蟒蛇一口氣能吞下多少隻猴子？
與鱷魚阿祖一同作答

那要視乎猴子有多大。如果猴子身長60厘米，而蟒蛇有6米長，那麼蟒蛇可以一隻接一隻地吃掉8隻猴子。在吃掉8隻猴子後，蟒蛇很可能不用進食也能生存6至12個月。

11
輪子為何能轉動？

汽車和巴士等車輛的車輪會轉動，是因為輪子由車輛內部稱為引擎的機器推動。在單車上，你的雙腳會推動輪子轉動——當你踩下腳踏，它會產生能量，輪子就轉了起來。因此是你令輪子轉動！

12
獵豹怎麼能跑得那麼快？

獵豹是陸地上最快的動物。牠們在衝刺時如此迅速，是因為牠們的身體形狀適合快速奔馳。牠們非常輕盈，還有長長的腿——真是完美組合！

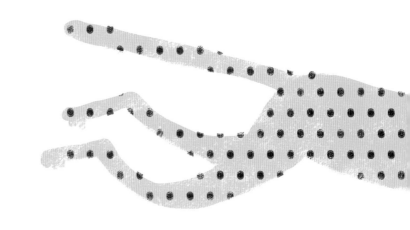

13
可持續棕櫚油對環境來說
比一般棕櫚油好嗎？

與埃瑪‧凱勒博士一同作答

棕櫚油是一種植物油，來自於印尼和馬來西亞的油棕櫚樹果實。你會發現棕櫚油無處不在，從牛油和餅乾到洗衣液——它甚至能用作汽車燃料！人們常常會砍伐雨林來種植油棕櫚樹，這會令紅毛猩猩和蘇門答臘虎等動物的家園被破壞。生產可持續棕櫚油的油棕櫚樹必須依從特定規則種植，例如確保不可以砍伐更多雨林，還要保障員工有公平的勞動條件，以及保護本地土地。

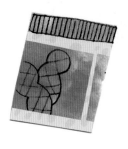

我們應該嘗試購買可持續棕櫚油的產品，同時也要盡量減少對它的整體依賴。

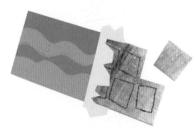
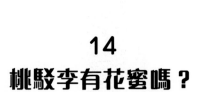

14
桃駁李有花蜜嗎？

桃駁李（nectarine，又稱油桃）裏沒有花蜜（nectar），儘管它們甜美得恍如花蜜。花蜜是一種含糖的甜味液體，由植物製造出來吸引動物。花蜜的英文nectar是由兩個希臘字詞組成：nek，意思是「死亡」；tar，意思是「克服」。人們認為如果你依靠花蜜維生，你可以永生不死，而希臘人宣稱他們的神明喜愛喝花蜜。

15
亞馬遜雨林裏生長着
多少種植物？

亞馬遜雨林是地球上面積最大的雨林。它延伸至9個國家，裏面充滿了動物和植物，生物欣欣向榮。我們不停地在亞馬遜雨林發現全新的植物，因此我們不能肯定那裏有多少植物。如今，科學家已在亞馬遜雨林中發現超過14,000萬種從種子裏生長出來的植物！

16
有多少動物棲息在
亞馬遜雨林裏？

亞馬遜雨林裏有數千種動物生活：427種哺乳類動物，包括食蟻獸、巨獺、美洲豹、樹懶和亞馬遜河豚等；1,300種鳥類，包括角鵰（harpy eagle）、巨嘴鳥（toucan）和金鋼鸚鵡等；378種爬蟲類動物，例如森蚺（anaconda）；超過3,000種魚類，例如食人魴（piranha）；還有超過400種兩棲類動物，包括箭毒蛙。

17
海盜會穿什麼樣的褲子？

海盜會穿寬鬆的長褲，讓他們能在航行中的船隻上跳來跳去並參與戰鬥。他們不想要有任何緊迫拘束的東西在寬鬆的褲子裏，因此他們不會穿內衣褲。沒錯，海盜不會穿內褲！

美國還有其他地方的孩子會以pants稱呼長褲，而英國及其他國家的孩子會將長褲稱作trousers。

國際海盜模仿日（International Talk Like a Pirate Day）定於9月19日。

18
海盜能成為出色的政治家嗎？

與威爾·牛頓一同作答

在歷史上，有些海盜並不是非常友善的人，不過有些海盜擅長經營海盜船。當海盜展開航海旅程時，他們會選出一位船長和負責領導其他海盜的高級人員。海盜船上的人數規模非常龐大，因此海盜不用像軍艦或商船的船員那樣辛勞工作。海盜也會使用海盜法則，那是海盜同意遵守的一系列規則。這有助於海盜解決船上的紛爭。法則列明海盜應該管治自己，還包括了一些命令，例如「不准打鬥」和「要保持武器清潔」。海盜必須團結合作才能成功。

19
海盜為何擁有自己的語言？

海盜來自全球各地，因此他們會說許多不同的語言。海盜不會說「哈囉！」，但可能會向他們的「伙計」（hearty）說「啊哈！」（ahoy）來打招呼。許多我們以為是海盜曾經使用的語句，例如「顫抖吧我的木頭們」（shiver me timbers）其實來自書本和電影。真正的海盜很可能從來不會如此說話！

蘇格蘭小說家羅伯特·路易斯·史蒂文森（Robert Louis Stevenson）在他的著作《金銀島》（Treasure Island）中發明了許多海盜語言。演員羅伯特·牛頓（Robert Newton）則在1950年代的《金銀島》電影版中使用了許多海盜術語，令它們變得膾炙人口。

20
為什麼海盜要喝冧酒？

與威爾·牛頓一同作答

大部分海盜劫掠的東西都不是黃金或珠寶。他們對任何有價值的東西都有興趣——任何他們可以穿着、出售、進食和暢飲的東西！冧酒源自加勒比海，那裏有許多經典的海盜事跡發生。因此冧酒在海盜船上十分常見，亦深受歡迎。當時，冧酒常常會用水稀釋，以製作一種名叫格羅格酒（grog）的飲品。

在軍艦上，海員會在中午獲配給冧酒，不過海盜可以在任何時候隨意痛飲冧酒！

21

世界上有多少個國家？

與阿拉斯代爾・平克頓一同作答

這是一個大問題，但要回答真的很棘手——即使專家也未能達成共識！有些專家說有189個，亦有專家說多達206個。「國家」（country）這個詞語的意義有些特別。舉例說，蘇格蘭、英格蘭、威爾斯和北愛爾蘭都是國家，但它們合在一起就是英國，我們稱之為一個主權國家（sovereign country）。其他國家，例如意大利，是由許多小國結合在一起，形成一個大國家。有時候，一個大國家又會分裂，然後形成幾個較小的國家。因此，這個問題很複雜！

22

為什麼有些國家有戰爭？

由阿爾夫・達布斯爵士作答

我們發生戰爭的主要原因，在於國家間停止與彼此商談，決定以戰鬥處理問題，那是非常愚蠢的做法。不過，有時候戰爭是一些國家保護自己的手段，因為其他國家正威脅它們。世上還有許多其他原因導致的戰爭。不幸的是，有時人們會因為戰爭而被迫離開自己的國家。我6歲時是一個兒童難民——難民會為保障安全而逃亡。因為戰爭，我需要離開我的家園，來到另一個國家來尋求安全的生活。

23

為什麼毛蟲會變成蝴蝶？

與尼克·克倫普頓博士一同作答

毛蟲變成蝴蝶的過程稱為變態（metamorphosis）。毛蟲需要迅速地成長，因此牠們有巨大的口器來吃掉大量的葉子。牠們是進食機器，而牠們不需要翅膀。可當牠們變成蝴蝶後，牠們要尋找伴侶，好讓牠們能誕下自己的毛蟲寶寶。為了這個目標，牠們需要翅膀，讓牠們能夠到處飛行。

24

為什麼蝴蝶會飛，
不會走路？

與尼克·克倫普頓博士一同作答

蝴蝶能夠飛行，不過牠們也能夠走路！下一次你看見一隻蝴蝶時，看看牠的翅膀下方。你會看見牠又細又長的腿。如果你長時間觀察一隻蝴蝶，你會發現牠確實會四處走動，不過不會走動太多。如果牠在走路，牠很可能正停駐在相當小的東西上，例如頭狀花序的小花。對蝴蝶來說，生活在充滿巨大花朵的世界，在花朵之間飛行，比步行移動更快也更容易。

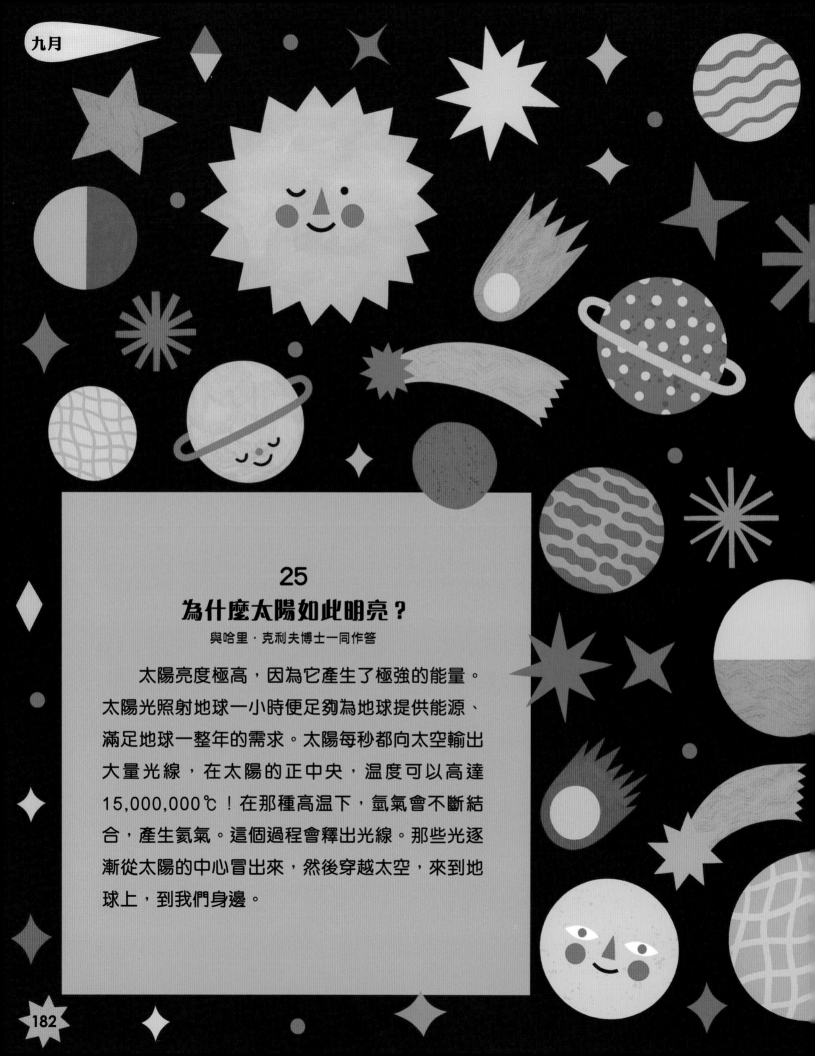

25
為什麼太陽如此明亮？

與哈里‧克利夫博士一同作答

太陽亮度極高，因為它產生了極強的能量。太陽光照射地球一小時便足夠為地球提供能源、滿足地球一整年的需求。太陽每秒都向太空輸出大量光線，在太陽的正中央，溫度可以高達15,000,000℃！在那種高溫下，氫氣會不斷結合，產生氦氣。這個過程會釋出光線。那些光逐漸從太陽的中心冒出來，然後穿越太空，來到地球上，到我們身邊。

26
太空人如何在
黑暗中看東西？

與薩拉・羅素教授一同作答

當你看見太空人在太空的照片時，太空看起來總是漆黑一片的，不過太空其實有大量光線！在地球上，陽光超級耀眼，因為它會在空氣中反射，並令我們周圍的一切看起來很明亮。在太空，陽光不會到處反射，因此太空總是看來黑漆漆的，儘管它並非如此。太陽仍舊在那裏，就像一道超級強力的射線，令一切變得非常耀眼。事實上，太空人往往要戴上由黃金製成的太陽眼鏡，來保護眼睛免受令人目眩的光線傷害！

27
螃蟹為什麼會側着身體走路？

螃蟹的腿生長在身體的兩側，而膝蓋會向外彎曲，因此牠們向兩側走路時移動得最快。這意味着螃蟹能夠在岩石和沙子下挖洞，並鑽入洞中。牠們不需要跑得很快。因為牠們吃食物的殘渣，不需要捕食。因此能夠躲起來對牠們來說更有用處！

28
埃及的金字塔是怎樣建成的？

與賈斯廷・波拉德一同作答

位於埃及吉薩的胡夫金字塔動用了超過200萬塊石塊，花了超過20年來興建。大部分石塊都是用簡單的銅製工具切割出來的。工人很可能利用木橇來運送石塊。我們認為工人每鋪好一層石塊，便會興建一段坡道，它圍繞着不斷變高的金字塔上升，以便將石塊拖上去。石塊很可能是用槓桿放到適當的位置。相信數以千計的人曾參與興建金字塔。專業的工程師會獲得薪金，而協助興建的埃及平民則可豁免繳稅。當他們興建金字塔時，他們會得到麵包，並有地方可以睡覺。

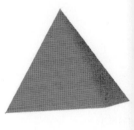

29
變色龍如何改變顏色？

變色龍會藉由放鬆或收緊皮膚來改變顏色。放鬆時，變色龍的皮膚細胞會緊密地靠在一起，並反射波長較短的光，例如藍光，因此皮膚看起來是藍色的。當皮膚拉緊時，皮膚細胞會變得相距較遠，會反射黃色、橙色和紅色的光。

大部分變色龍會依據心情來改變顏色。有些靠變色來控制體溫——較深的顏色會吸收大量陽光，令變色龍變得溫暖，而較淺的顏色會反射陽光，令牠保持涼快。

30
靈感是從何而來的？

靈感可以從任何地方產生。靈感就只是一個念頭，直至你開始著手讓構想成為現實，而那就是魔法生效的瞬間！重要的是要去做你熱愛的事情——依循你的好奇心，讓它帶你到達任何地方。如果你想出一個好主意，先把它寫下來。靈感並不需要完美無缺。將這個想法告訴朋友，並開始將它製作出來吧——不論那是一個發明、一個美味的蛋糕、一幅圖畫或是一本書，就像這本書一樣！

「事實上我真的不知道答案。靈感似乎可能隨時出現——當我在淋浴或是去購物時，或者是當我駕車而收音機播出一首歌曲時。就在靈感出現的一刻，我會快速寫下相關的筆記——可能只是兩三個字——不過我這樣做的原因，在於靈感可能從你的腦海迅速消失，就像它來臨時一樣快。我的孩子是我的優質靈感來源。他們會大量閱讀，而且他們都有非常鮮活的想像力！要相信，沒有任何想法是愚蠢的！」

羅布・比達爾夫（Rob Biddulph）
童書作家兼插畫家

瑪蒂達（Matilda）在作家羅爾德·達爾（Roald Dahl）的靈感筆記本中存在了20年之久，他才開始圍繞這個小女孩寫作，而他也花了很長時間來修正故事，因此不要放棄！

「我曾經認為好主意只會來到極其聰明的人們身邊。我想像他們只需望一眼白紙，他們的字詞便會傾瀉而出。不過我寫作越多，我便越能明白事情根本不是那樣：靈感能夠從各種各樣出人意料的地方冒出來。我大部分靈感都在探險時出現，不論是住所附近或是到很遠、很遠的地方。我曾經從住所附近的燈柱上取用地方的名稱，我也曾根據自己乘坐狗拉雪橇橫跨北極的旅程創作故事，還將在蒙古與哈薩克鷹獵人一起生活的經歷當作故事背景。不過故事也可能從無意中的白日夢中蹦出來。你只需要遇上一個尚未被其他人碰上的靈感……」

阿比·埃爾芬斯通（Abi Elphinstone）
童書作家

十月

十月

1
樹木如何長出葉子？

與杰斯・埃文斯一同作答

所有生物都是由稱為細胞（cell）的構成單位組成的，而植物裏擁有一組稱為分生組織（meristem）的細胞。這些細胞在植物的一生中不斷分裂，它們也可以改變自己來進行不同的工作。隨着植物成長，植物裏的特殊化學物質會改變個別細胞的發育方式。細胞能從作為植物的莖的一部分，變成能夠長成葉子的細胞。這些化學物質能夠改變細胞的形狀，功能和生長的方向。例如，將會成為葉子的細胞會從莖部向外生長。

2
世界上有多少棵樹？

世界上有超過3萬億棵樹，平均每個人便有400棵樹。

3
為什麼樹木會掉葉子？
與卡倫・萊騰一同作答

不是所有樹木都會落葉，會落葉的樹木稱為落葉樹（deciduous）。樹木需要食物和水來為它們提供能量去生長。夏天，樹葉會負責一項神奇的工作，就是在稱為光合作用（photosynthesis）的過程中將陽光變成樹木的食物。不過秋天和冬天陽光較少，樹葉進行光合作用時困難得多。與其浪費大量能量來保留漂亮的葉子，樹木寧願讓葉子掉落，在冬天睡一個漫長的懶覺，以節省能量！

4
為什麼葉子在秋天會變紅？
與卡倫・萊騰一同作答

落葉樹掉落葉子前，它們會先吸走葉子裏的養分，並將這些能量全都儲存起來，留待之後使用。葉綠素是一種存在於所有綠色植物裏的綠色色素，它能讓葉子擁有從陽光中捕捉能量並轉化成糖的超能力。秋天和冬天陽光較少，意味着葉子不需要那麼多葉綠素，因此葉綠素便被重新吸收回樹木的身體裏。當葉綠素消失後，我們便能看見葉子裏其他的色彩，例如黃色、橙色和紅色。

5
熔岩如何變硬？

　　熔岩（lava）是液態的岩石，它是在地球內部形成的，那裏非常熾熱，連岩石也會熔化！當液態的岩石在地底時會被稱為岩漿（magma），但當它從火山口流出，來到地球的表面後，便被稱為熔岩。熔岩冷卻時會變硬。通常頂層的熔岩會相當迅速地冷卻，大約在15分鐘後頂層便會形成一個硬殼，可以讓你在上面行走。這個硬殼能讓下方的熔岩保持溫暖，熔岩會在下方繼續流動。人類可以向熔岩灑水，令它冷卻得更快，不過你需要許多水！

有些很厚的熔岩可達大約30米厚，可能要花上數年才能完全硬化。

6
為什麼維蘇威火山爆發時，有些建築物經過熔岩侵襲仍能保存下來？

與尼克‧羅斯一同作答

公元79年維蘇威火山（Mount Vesuvius）爆發期間，龐貝城（Pompeii）遭受的許多破壞都是由落在人和建築物上的火山灰，而不是由熔岩造成。飄散的火山灰當時對龐貝城的民眾來說似乎不成問題，但這正是致命之處。火山灰飄落了數天，完全覆蓋住建築物。它降落得非常溫柔，令大部分建築物倖免於難。

當地艦隊的元帥老普林尼（Pliny the Elder）當時非常放鬆，他吃了午飯，睡了一覺，洗個澡後，才出航前往龐貝，但他已經來得太遲了。那時，火山灰已變成小岩石，沒多久火山便徹底爆發了！之後的數年，在雨水和太陽的照射下火山灰慢慢變硬。

又過了很久，在1748年，人們在挖掘牆壁時發現了龐貝城。如果燃燒中的熔岩覆蓋了龐貝城，便沒有任何建築物能保存下來，我們現在也不會對羅馬人的日常生活有如此豐富的認識了。

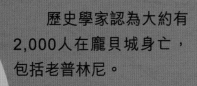

歷史學家認為大約有2,000人在龐貝城身亡，包括老普林尼。

7

為什麼狐狸有紅色的毛皮？

紅狐的毛其實可以是金色、棕色、銀色或黑色的，而紅毛的色調也各有不同呢。毛皮的顏色視乎狐狸在哪裏生活——毛皮的顏色有助於狐狸與牠身處的環境相融合，讓牠難以被發現，不容易被較大型的動物吃掉！

8

為什麼男人有乳頭？

大部分雄性哺乳類動物都擁有乳頭，即使它們不能製造乳汁。當寶寶一開始在媽媽的肚子裏成長時，他被稱為胚胎（embryo）。在最初的6個月裏，所有的胚胎看起來都是相同的，並會長出乳頭。接下來，將會變成雄性寶寶的胚胎會開始變化，不過乳頭已經在那裏了！

9

梁龍Dippy（曾在英國大英自然歷史博物館中展出）是男孩子還是女孩子？

與保羅·巴雷特教授一同作答

我們並不知道 Dippy 是男孩子還是女孩子，因為男孩子與女孩子恐龍的外表大部分是相同的！科學家只有在恐龍身體裏發現恐龍蛋，才能確定恐龍是雌性的。

10
太空裏有多少個人造衞星？

人造衞星是小型的太空船，會圍繞着地球或其他行星飛行。根據聯合國保存的一份稱為《發射至外太空的物體網上索引》紀錄，在2019年剛開始時，圍繞地球運轉的人造衞星有4,987個，而只有7個人造衞星圍繞其他行星運轉。

每年有數以百計的人造衞星被發射上天。

11
鯨魚怎樣睡覺？

鯨魚會在水中睡覺，垂直或水平地懸浮在水中，或者牠們會一邊睡覺，一邊靠在另一尾鯨魚旁邊慢慢游動。牠們是半夢半醒的，因為牠們要記得到水面上呼吸。鯨魚腦部有一半會先呼呼大睡，之後再輪到另一半腦部去睡覺！研究人員認為，這現象可能只出現在圈養的鯨魚身上，因為生活在野外的抹香鯨可能擁有適當的、充足的睡眠。

12
有沒有夜行性的魚類？
與詹姆斯・麥克萊恩一同作答

有許多！牠們大多只有一種顏色，並長有非常大的眼睛。長刺真鱵（longspine squirrelfish）是橙色的，牠的眼睛與體型相若的日行性魚類的眼睛相比，幾乎是對方的3倍大。

光蟾魚（midshipman fish）白天會將自己埋在沙子裏，到晚上才游出來。雄魚會發出相當響亮的哼唱聲向雌性唱歌。

13
人們從什麼時候
開始穿衣服？

早期人類很可能在毛髮較少並更感受到寒冷時，開始穿動物的毛皮。研究人類歷史的人稱為人類學家，他們認為藉由研究蝨子的化石，便能知道人類從何時開始穿衣服。人類學家留意到，頭蝨和生活在髒衣服上的蝨子大約在170,000年前變成兩種不同的品種。那就是人類開始穿衣服的時期，因為那就是與眾不同的蝨子出現的時候

為了追求時尚而穿衣服的做法，可能是在大約34,000年前開始的。一種用來織成亞麻布、稱為亞麻纖維（flax fibre）的物料，在格魯吉亞的高加索山脈一個山麓上的祖祖阿納洞穴（Dzudzuana）被發現。我們認為人類曾在那裏居住，而他們可能正用亞麻創造出一種新的布料。

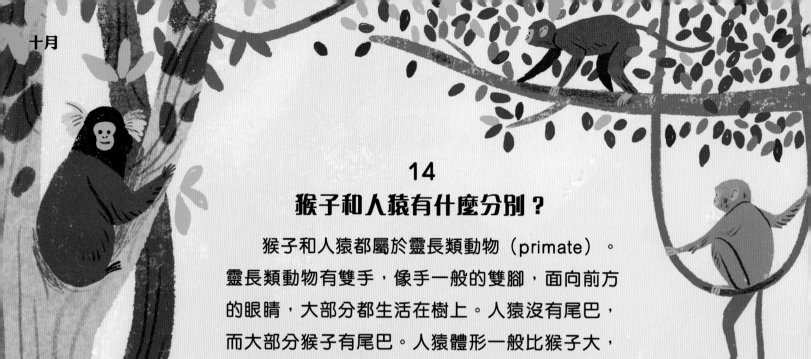

14
猴子和人猿有什麼分別？

猴子和人猿都屬於靈長類動物（primate）。靈長類動物有雙手，像手一般的雙腳，面向前方的眼睛，大部分都生活在樹上。人猿沒有尾巴，而大部分猴子有尾巴。人猿體形一般比猴子大，牠們有較大的腦部，壽命也比較長。人猿會在樹木之間盪來盪去，而猴子會在樹枝上跑來跑去。

猴子包括了狒狒（baboon）、捲尾猴（capuchin）、狨猿（marmoset）和獠狨（tamarin）；而人猿包括大猩猩（gorilla）、黑猩猩（chimpanzee）、紅毛猩猩（orangutan）、倭黑猩猩（bonobo）和長臂猿（gibbon）——喔，還有人類！

15
為什麼猴子會爬樹？
與艾麗斯·丹瑟一同作答

許多品種的猴子一生大部分時間，或者近乎所有時間都生活在樹上。樹木是牠們尋找食物的地方。例如，疣猴（colobus）會從一根樹枝跑到另一根樹枝去尋找美味的葉子。猴子也會爬到樹上以遠離試圖吃掉牠們的動物。森林裏的樹枝和葉子能幫助猴子隱匿。

16
為什麼當你撞到手肘時會痛得不得了？

在你的手肘裏有稱為尺神經（ulnar nerve）的組織，從脖子一直延伸到手。神經一般會被骨頭及肌肉保護，但有一部分未受保護的尺神經剛好在手肘上，如果你撞到它便會疼痛難當。尺神經會沿着你上臂中稱為肱骨（humerus）的骨頭生長。

在英語世界，人們會戲稱肱骨為「有趣的骨」，因為肱骨的英語humerus聽起來就像「humorous」（幽默），意即有趣或好笑。

17
為什麼疤痕不會消失？

如果受傷的傷口需要超過3星期或4星期才能痊癒，通常就會出現疤痕。當你割傷皮膚時，你的身體會輸送膠原蛋白到傷口處，幫助修復。膠原蛋白是堅韌的白色物質，會作為一道橋樑，將破損的皮膚連結在一起。通常傷口上會結痂，以保持傷口清潔。痂掉落後，疤痕就會留下來。

18
水豚會發出什麼聲音？

水豚（capybara）會發出許多聲音！當牠們開心時，牠們會發出「滴答聲」，聽起來有點像啄木鳥在啄樹！當牠們憂慮時，牠們會吠叫，並發出一點粗啞的呼叫聲。當一群水豚決定要去某個地方時，牠們會組成水豚合唱團一起唱歌。那是響亮嘈雜的聲音，裏面混有尖叫聲、哨子聲和滴答聲！

水豚也能夠以其他方式「交談」呢——牠們會用屁股中腺體分泌的氣味在樹木和植物上留下標記，向其他水豚傳送信息。

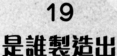

19
是誰製造出
第一架飛機？

由威爾伯·萊特（Wibur Wright）及奧維爾·萊特兄弟（Wibur Wright）發明的飛行機器是第一架成功飛行的飛機。1903年12月17日，這架飛機第一次展開受控飛行，奧維爾·萊特坐在機上——當飛機起飛時他伏在機翼上，飛行了12秒！萊特兄弟當日在美國北卡羅萊納州的小鷹鎮（Kitty Hawk）又完成了3次短途飛行。

你能在美國華盛頓特區的美國國家航空太空博物館（Smithsonian National Air and Space Museum）看見萊特兄弟製作的飛機。

20
飛機怎樣飛行？
與道格·米勒德一同作答

首先，飛機必須有一個引擎來令它離開地面並在空中移動。真正巧妙之處在於機翼的形狀。在我們掌握到機翼的形狀之前，飛機並不能飛行。如今我們知道機翼必須是某種特別的形狀，而這形狀能讓空氣在飛機下方往上推，那就是令飛機保持在空中的關鍵。

21
世界上第一個魔術
把戲是什麼？

第一個已知的魔術把戲記載於古埃及文獻《韋斯特卡紙莎草卷》（*Westcar Papyrus*）中。當中一個故事說，下令興建吉薩大金字塔的胡夫法老要求一位名叫德迪（Dedi）的魔術師表演魔術。德迪便將一隻鵝、一隻鴨和一頭牛的頭顱扯下來，然後令牠們死而復生。這種把戲如今不怎麼流行了！今天的魔術師仍會表演的最古的老魔術把戲被稱為「杯球魔術」（cups and balls），而這套把戲已經表演了數千年！

22
世界上有多少隻兔子？
與羅伯托·波特拉·米格斯一同作答

沒有人知道世界上究竟有多少隻兔子——要全部統計牠們可能非常困難！全球各地的農場裏有超過10億隻兔子，然後還有各個品種的野生兔子。世界上共有27種兔子，也許還有些品種尚未被人發現，因此如果這個數子在未來增加了也不用感到意外。

23
為什麼熊擁有長長的毛皮來保暖，
仍然要睡覺來度過整個冬天？

熊有厚厚的毛皮來保持溫暖，因此如果問題只是在於溫度的話，牠們很可能不用整個冬天都睡覺。熊會吃昆蟲、漿果、堅果和樹液，還有肉和魚。夏天，周遭有大量食物，熊變得又壯又肥，不過到了冬天便沒有那麼多食物可吃。因此牠們便在巢穴裏蜷成一團冬眠，最長可以睡上7個月！在這段時間，牠們會從身體脂肪中獲取能量。

冬眠期間，熊不會進食、喝水、小便或大便。牠們會用一個稱為「糞塞」（tappen）的塞子將屁股封住。糞塞是由糞便、熊自己的毛、足部的一點皮膚和柔軟的植物製成。然後，到了春季，牠們便會將糞塞拉出來！

新生的幼熊常常會在冬季於熊的巢穴裏出生。當春季再次來臨，整個熊家庭便會走出巢穴，向世界邁進。

世界上許多地方都能找到洞穴。離你最近的洞穴是哪一個？

24
洞穴是如何形成的？

與艾倫・卡農一同作答

大部分洞穴都是由一種稱為石灰岩（limestone）的岩石形成的。岩石很堅硬，不過天長日久，它們可能被雨水軟化及侵蝕。水也許會從洞穴中流出去，回到外面，也許會從附近冒出來，形成噴泉。

25
為什麼蝙蝠是盲的？
與羅伯托・波特拉・米格斯一同作答

蝙蝠其實不是盲的。常見的俗語「像蝙蝠一般盲目」（blind as a bat）是完全錯誤的！有些蝙蝠，例如吃昆蟲的蝙蝠有很小的眼睛，而其他蝙蝠例如果蝠有大眼睛，所有蝙蝠都會用眼睛來看世界。果蝠擁有彩色視覺，牠也需要大眼睛來看清障礙物，還要看看哪棵樹上有好吃的水果。大部分吃昆蟲的蝙蝠（又稱為小蝙蝠）只能看見黑色和白色，不過牠們仍會利用眼睛在飛行時避開障礙物。

要在黑暗中到處移動，有些蝙蝠會使用回音定位（echolocation），蝙蝠會發出高頻的聲音，並聆聽反彈回來的聲音。這發生在一秒內，能幫助蝙蝠對周遭環境建立更全面的印象。

26
為什麼蜘蛛不會被自己的網困住？

蜘蛛其實不大會碰觸到自己的網，即使在牠們正在織網的時候。牠們只會用腿或爪子末端上的微小毛髮來碰觸蜘蛛網具黏性的絲線。這些毛髮會抓着蜘蛛網，令蜘蛛不致掉落，不過被蜘蛛網黏着的毛髮數量不足以令蜘蛛受困——與蒼蠅不同，蒼蠅整個身體會「啪嗒」一聲撞在蜘蛛網上，動彈不得。這同樣發生在我們這些巨大笨拙的人類身上——當你用手指碰觸蜘蛛網時，你大量的皮膚會接觸到蜘蛛網，因此蜘蛛網便會黏住你！

27
為什麼木乃伊會被繃帶包裹住？

與賈斯廷·波拉德一同作答

古埃及人相信，人死後有機會在來世再次復活。為了到達來世，你需要帶上自己的身體。古埃及人認為，當一個人死亡後，他的靈魂會離開遺體，不過如果遺體被好好保存，人便能活過來並繼續前往來世。埃及是個非常炎熱的國家，因此保存遺體相常棘手。為此他們會將遺體的內臟移除，並令遺體完全乾燥，然後小心地用繃帶將遺體包裹好，以作保護。這意味着遺體的主人能夠找到自己的身體，並再次使用它！

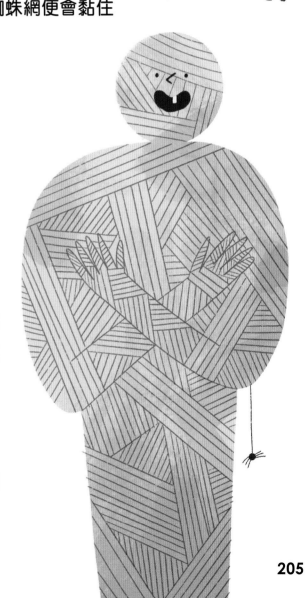

噴液眼鏡蛇
（spitting cobra）
能夠將毒液噴至
3米外！

28
蛇如何製造毒素並且怎樣將它噴出來？

蛇不會製造毒素（poison），但牠們確實會產生毒液（venom）！蛇會用毒牙咬其他動物，將毒液注射進對方體內。牠們會在腺體內產生毒液，這和我們分泌口水的方式有點相似。有些蛇能運用毒液腺體的肌肉，透過中空的牙齒噴出毒液。

29
毒液和毒素有什麼不同？
與鱷魚阿祖一同作答

毒液需要透過咬噬或螫刺注射進你的身體裏。毒素需要被吞下，或是透過你的鼻子、眼睛或皮膚進入你的身體。蠍子、毒蛇和蜜蜂全都是會分泌毒液的（venomous），因為牠們會藉由咬噬或螫刺令其他動物中毒，但蟾蜍有毒（poisonous），是因為牠的皮膚裏帶有毒素。

206

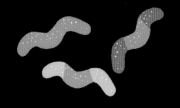

30
我們為什麼會在南瓜上雕刻臉孔來慶祝萬聖節？

數千年來，人類都會在一年中的這個時節雕刻蔬菜，並用蠟燭將它們點亮。起初，人們會雕刻蕪菁（turnip），不過如今我們大多會使用南瓜。它們會被雕刻成神靈的模樣，以嚇走任何可能存在的鬼魂！

許多小朋友喜歡雕刻南瓜，並在萬聖節時將南瓜放在自己的家門外。它們被蠟燭照亮，在黑暗中散發光芒，好看極了。

31
是誰發明了萬聖節？

萬聖節源自大約2,000年前愛爾蘭的一個節日，稱為薩溫節（Samhain）。這是古代凱爾特人（Celts）在冬天到來時慶祝的節日──他們認為每年的這個時刻，人類世界和鬼魂與神靈之間的屏障會變得薄弱。在19世紀，大量愛爾蘭人遷徙至美國，而他們也將他們的節日傳統帶到新居所。經過一段時間，這個節日也慢慢改變，成為現在的萬聖節，還有不給糖便搗蛋（trick-or-treating）、變裝扮演和派發糖果等活動。

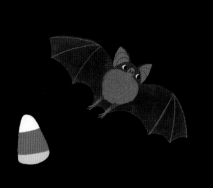
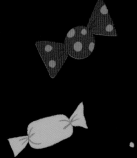

十一月

1
如果冰蓋融化了，
北極熊要到哪裏去？

2
北極光從何而來？

3
為什麼世界上
不再有恐龍？

4
為什麼恐龍消失了，
但在相同時期存活的
其他動物卻沒有
完全滅絕？

5
煙花怎樣抵達天空？

6
為什麼恆星會在
天空中閃閃發光？

7
為什麼大象會跺腳？

8
為什麼有些動物有兩條腿，
有些有4條腿？

9
為什麼動物會大便？

10
為什麼彩虹
如此七彩繽紛？

11
為什麼雪花是白色的？

12
為什麼天空是藍色的？

13
為什麼太陽是橙色的？

14
如果一隻遊隼和
一隻獵豹進行速度競賽，
結果會怎樣？

十一月

1
如果冰蓋融化了，
北極熊要到哪裏去？

這是一個很好的問題，但答案令人非常難過。北極熊生活在北極地區，牠們以冰蓋為家，因此如果冰蓋融化，牠們便無處容身了。北極熊主要吃海豹為生，牠們會用冰蓋作為覓食的平台。如果海冰融化，牠們便無法捕捉食物。牠們需要大量進食才能保持健康，大約每10天要進食一頭成年海豹或者19隻海豹寶寶！如今海冰少了很多，北極熊經常需要游泳覓食，而游泳消耗的能量要比步行多5倍。

如果北極冰蓋繼續以現時的速度融化，到了2050年，北極熊只會剩下現有數量的三分之一。那多可怕！我們必須制止氣候變化，讓世界停止暖化，海冰不再融化，我們才能繼續生活在有北極熊的地球上。

2
北極光從何而來？

如果你很幸運，你可能會在地球的北方地區，例如冰島、格陵蘭、斯堪的納維亞半島、阿拉斯加和加拿大等，看見一道道美麗的彩色光帶在晚空中不斷改變形態。這些北極光（Northern Light，又稱aurora borealis）就像天空中的魔法。當太陽風——來自太陽的帶電荷粒子湧流——撞上地球的磁場時就會出現北極光。磁場能保護地球，將太陽風推向北極和南極，那裏的磁場最強。在那，太陽風會與大氣層的氧氣和氮氣發生反應，形成彩色的光芒。

3
為什麼世界上不再有恐龍？
與保羅．巴雷特教授一同作答

大部分恐龍在大約6,600萬年前一顆巨大的小行星撞擊地球時便滅絕了。好消息是，如今我們身邊仍有恐龍存在！當你望向窗外，你能看見到處飛翔的鳥兒，牠們其實是活生生的恐龍。鳥類是在小行星撞擊前在地球上生活的恐龍的直屬後裔。

4
為什麼恐龍消失了，但在相同時期存活的其他動物卻沒有完全滅絕？
與大衞．巴頓博士一同作答

數千年前，當一顆巨大的小行星與地球相撞擊，在全球各地引發山林大火與酸雨後，地球上75%的生命都被消滅了。其中，絕大部分死去的是恐龍。大型的草食性恐龍需要大量食物，當植物死亡後，牠們也很快餓死。接着肉食性恐龍也開始捱餓了。一些動物專門進食已死亡或正在腐化的植物，例如昆蟲、蠕蟲和蝸牛等，牠們反而有足夠的食物，因此依靠這些生物為生的小型的哺乳類動物、鳥類、爬蟲類動物、兩棲類動物及魚類亦有足夠的食物來活下去。

5
煙花怎樣抵達天空？

煙花大約在2,000年前在中國發明。中國人創造了一種火藥，並將它倒進一根竹子裏，然後丟進火裏，竹子就會爆炸！這種火藥以硝酸鉀（potassium nitrate）製成，至今仍為人使用，正是這種火藥將煙花射上空中。如今，放煙花時，需要點燃一根引信，以讓火藥將煙花射上天空。一到達半空，火藥便會令煙花「砰」的一聲綻放！

6
為什麼恆星會在天空中閃閃發光？

與道格·米勒德一同作答

儘管恆星位於遙遠的他方，但我們仍能看見它們，那是因為恆星非常熾熱。恆星是由燃燒着的氫氣組成，那是一種非常輕盈的氣體。恆星燃燒時，會散發出大量的光和大量的熱力，所以它們會閃閃發光！

7

為什麼大象會跺腳？

當大象跺腳時，牠們通常是在警告其他大象有危險。大象能夠用牠們的腳做遠距離交談，這段距離可長達32公里！當一頭大象跺腳時，牠會令地面產生細微的震動，震動經大地傳送。遠處的其他大象能夠靠自己的腳感受到這些震動。

8

為什麼有些動物有兩條腿，有些有4條腿？

與西蒙·洛德博士一同作答

除了像昆蟲這種擁有許多條腿的生物，或是像蛇那樣沒有腿的生物以外，大部分陸上動物都有2條或4條腿。陸上動物的腿的數量都是雙數，這能讓牠們輕易地轉左或轉右。我們人類會以兩腿走路，用雙臂來做其他事情。不過，對大部分陸上動物而言，對於追逐與捕捉其他動物，或是逃離捕獵者，4條腿的用處要大得多！

大象的糞便是龐然巨物——比狗糞大1,000倍！袋熊會排出立方體狀的糞便。河馬有時會在大便時轉動尾巴，以將糞便射出去，吸引伴侶。

9

為什麼動物會大便？

動物大便的原因與你大便的原因是相同的——用來清除食物的殘渣。大部分動物平均要花12秒來大便。

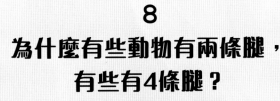

10
為什麼彩虹如此七彩繽紛？

你有沒有發現，你通常會在天空正下雨，但又有陽光的時候看見彩虹？陽光裏包含了彩虹的所有色彩，不過通常你看不見它們。彩虹的顏色是紅、橙、黃、綠、藍、靛和紫。當太陽在驟雨中閃耀時，陽光會照射在每顆雨點中。當陽光進入雨點時，它會變慢並彎曲，然後在反彈時變得更彎。陽光反彈時，它會分散成許多不同的顏色。有些顏色比其他顏色反彈得更多——紫色反彈得最多，而紅色反彈得最少。正是這些顏色形成了彎彎的彩虹！

11
為什麼雪花是白色的？

雪花其實是透明的，不過它們看起來是白色的，因為它們會將所有顏色的光反射給我們。光線會在這些透明的結晶裏面到處反彈，然後離開雪花，來到我們的眼睛裏，在那裏它們看起來是白色的。

12
為什麼天空是藍色的？

陽光會以搖擺的動作前進，這種動作稱為波（wave）。有些波很短，會形成較藍的光；有些波很長，會形成較紅的光。陽光撞上地球的大氣層時，大氣層就像由氣體形成的被子，包裹住地球，光波在大氣層裏會散向四方八面。較短、較藍的光波散播的範圍最廣，因此天空通常看來是藍色的。這現象稱為瑞利散射（Rayleigh scattering），它是以英國科學家瑞利爵士（Lord Rayleigh）來命名的，瑞利爵士是第一個發現光線會散射的人。

13
為什麼太陽是橙色的？

與埃米·戴維一同作答

太陽在太空拍攝的照片中是白色的，不過從地球上看太陽通常是橙色的，特別是太陽每天早晚低垂於天空中的時候。這情況之所以會發生，正與天空看來是藍色的原因相同——大氣層散射了太陽光。大量來自太陽並抵達我們眼睛裏的光都是黃色和紅色的，特別是在太陽升起和落下的時刻，因此太陽看起來是橙色的！

14
如果一隻遊隼和一隻獵豹
進行速度競賽，結果會怎樣？

在野外，獵豹的平均時速是每小時53公里，因為如果牠們跑得較慢，改變方向會較容易。不過獵豹曾被發現在野外以每小時93公里的高速狂奔。

遊隼（peregrine falcon）向地面俯衝時能夠以每小時389公里的速度飛行！不過當牠們正常地飛行時，遊隼會以大約每小時64公里至96公里的速度前進。

因此，如果遊隼要在獵豹旁邊沿直線飛，對遊隼來說將是艱辛的比賽！遊隼可能會勝出，但也可能由一隻真正矯捷、強壯的獵豹贏得賽事！

有一名曾經養育獵豹幼崽的保育人士測算過獵豹的速度，是最可靠的紀錄之一。他將一塊肉綁在自己的車上，然後開車。結果獵豹以每小時103公里的速度追趕着他！

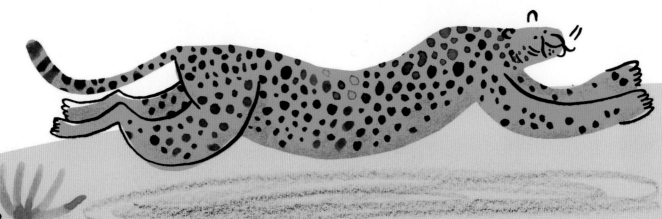

15
隼如何捕捉獵物？

隼（falcon）是不可思議的獵人！當隼看見美味的食物時，牠會從高空俯衝下降。隼有尖尖的翅膀，牠們向下急降時會將翅膀收向自己的身體。隼每秒能拍動翅膀4次而不感到疲倦！隼的眼睛上亦有隆起的脊狀結構，為眼睛遮陰，像太陽眼鏡。隼還有特殊的骨骼，讓牠在突然移動時眼睛也能固定在應有的位置。

最後，隼會用雙腳上的爪子和喙上的利齒將獵物殺死。

隼俯衝得非常快，甚至移向牠的空氣力量足以令牠的肺部爆炸！不過這情況沒有發生，因為隼的鼻孔裏有特殊的錐形構造，稱為隔板（baffle）。隔板設計巧妙，人類也模仿它們來製作噴射引擎。

16
為什麼陸龜是綠色和棕色的？

綠色與棕色的身體與外殼能讓牠們與周遭的葉子、樹木和岩石相融，令捕獵者無法看見牠們。這種保護自己的方式稱為保護色（camouflage），許多動物都會用這種方法來確保安全。

17
為什麼人類不能搖動耳朵？

貓、狗和馬全都能搖動耳朵。牠們會轉動耳朵朝向聲音的方向。我們的祖先也能做到這種動作，不過如今我們不大需要這樣做。目前，大約10%至20%的人類能夠搖動耳朵！通過練習，你也許能夠學會，不過能做到的人通常是天生就能夠做到。

18
世界上第一種動物是什麼？

科學家認為，世界上第一種動物可能是狄更遜水母（Dickinsonia）。牠是一種團狀的生物，長度超過1米，質感彷似水母。科學家曾在俄羅斯的白海沿岸發現狄更遜水母化石，認為牠生活在5億多年前！

19
為什麼馬匹要穿鞋子？
與克洛弗·斯特勞德一同作答

當馬匹被人類騎乘時,便需要穿上馬蹄鐵來保護牠們的蹄子。我們不會騎牛或騎狗,因此牠們不需要鞋子。金屬製的馬蹄鐵能防止馬匹受傷或避免牠們的蹄子在堅硬的地面上磨損。所以如果你在田地或者柔軟的地面上騎馬前行,你的馬匹也許不用穿上馬蹄鐵。在馬匹的世界,這稱為騎乘赤腳行走的馬。

有時,馬匹會使用特殊的金屬釘,類似球鞋,以提供額外的抓地力,以免滑倒。

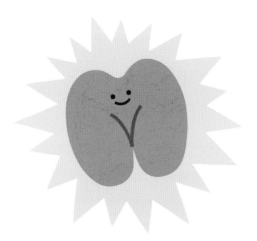

20
為什麼蘑菇和毒蕈
不喜歡大量陽光？
與李·戴維斯一同作答

蘑菇和毒蕈不能像我們一般喝水——它們必須從周圍的土壤裏吸取水分。當有大量陽光時,土地會乾涸,而這些菌類便無法生長。所以它們最喜歡舒服潮濕的地方!

21
世界上最大的
種子是哪一種？

世界上最大最沉的種子好像一個屁股!它來自罕見的海底椰樹,生長在印度洋的塞舌爾群島(Seychelles)。海底椰種子大約長30厘米,重量約25公斤。

22
為什麼人會死？

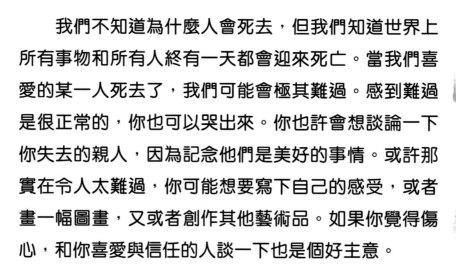

　　我們不知道為什麼人會死去，但我們知道世界上所有事物和所有人終有一天都會迎來死亡。當我們喜愛的某一人死去了，我們可能會極其難過。感到難過是很正常的，你也可以哭出來。你也許會想談論一下你失去的親人，因為記念他們是美好的事情。或許那實在令人太難過，你可能想要寫下自己的感受，或者畫一幅圖畫，又或者創作其他藝術品。如果你覺得傷心，和你喜愛與信任的人談一下也是個好主意。

　　要是你知道有人失去了喜愛的人，你可以當他們的聽眾，讓他們不會覺得孤獨。當然，如果他們覺得快樂，想要玩耍或做其他事情，那也很好呀。

　　思念某個已故之人並沒有正確的方式。在有些日子裏可能沒大問題，其他日子可能傷心欲絕。你喜愛的人即使死去了，仍將永遠活在你的心裏和你的記憶中，想起他們是美好的事情。你可以和其他喜愛他們的人一起談及他們，或是在你的腦海裏和他們交談，就像他們正在那裏陪伴着你。他們肯定正對你傳遞愛意。

23
為什麼雪會黏在一起，
但冰塊不會？

雪是由冰晶形成的。當你製造雪球時，你會用雙手將冰晶堆起來，你的手會令冰晶融化。當你停止堆疊冰晶時，融化了的冰晶會凝結，並將雪固定在一起。輕盈呈粉狀的雪不會黏在一起，因為就算你用力推擠，冰晶也不會融化。這就是為什麼小塊的冰通常不會黏在一起——冰塊太冷了，它很難融化，也難以像漿糊般重新凝固。

24
為什麼我們會冷得發抖？

當你冷得發抖打顫時，你的身體肌肉其實在迅捷地移動，以產生熱力來令你暖和起來。當你熱得汗流浹背時，身體讓汗水從皮膚上蒸發來幫助你變得涼快。

如果你用溫度計量度一下，你的體溫總是大約在37℃左右，除非你不舒服或發燒！

25
鳥類為何能飛行？
與喬・格羅塞爾一同作答

鳥類有很多重要的特徵能幫助牠們飛行，不過最重的兩個特徵，就是牠們的羽毛和非常輕盈的身體。鳥類的羽毛有完美的形狀來推動空氣，令鳥類上升及前進。羽毛很輕，但非常強韌，而覆蓋着鳥類身體的羽毛讓鳥類擁有修長、流線形的身形。飛鳥也有輕盈的中空骨骼，牠們沒有大量沉重的肌肉。牠們最強壯的肌肉就是那些令翅膀上下拍動的肌肉。

有些鳥類能利用牠們的翅膀懸浮在某個地方，例如蜂鳥。其他較大型的鳥類，如鷹和信天翁能夠利用温暖、上升的氣流或是乘着風飛到高處或迅速前進，不過大部分鳥類只會上下拍動翅膀飛行。

26
哪一種鳥類飛得最高？

黑白兀鷲（Rüppell's griffon vulture）能夠飛到11,300米的高空！牠們擁有驚人的視力，能夠從超高處往下望以尋找食物，然後俯衝而下捕捉目標。

27
為什麼鳥類要飛行？
與蘇濟·海德一起作答

能夠飛行讓鳥類與不會飛的動物相較擁有極大的優勢。這種能力讓鳥類能夠跨越地球上遙遠的距離。有些鳥類會展開長途遷徙，前往氣候較熱或較涼的地方，讓牠們一整年都能在氣溫最合適的地方生活。有些鳥類會飛行一段非常長的距離以搜尋食物、水源和伴侶。會飛行亦意味着鳥類能在難以抵達的地方建造巢穴並養育後代，例如樹頂和懸崖等，在這裏牠們可免受捕食者威脅。

28
為什麼鳥類見到人就躲開？
與喬·格羅塞爾一同作答

數千年來，人類一直捕獵鳥類。例如，突襲牠們的巢穴來取走鳥蛋。因此，在本能上大部分鳥類都將我們視為威脅，會與我們保持安全距離。有些鳥類生活在沒有任何天然捕食者或人類的島嶼上。這些鳥類，例如某些企鵝，便不會將我們視作威脅，甚至會出於好奇而接近人類。

29
誰是第一位藝術家？

由羅布・瑞安作答

什麼是藝術家？誰是藝術家？如果你認為自己是一位藝術家，是否代表你就是一位藝術家？在你非常年幼的時候，你也許曾將你的小手放進顏料中，然後將手壓在一些紙張上。因此，你可能創作過一幅圖畫，而圖畫就是藝術。即使你只有2歲或3歲，你已經是一位藝術家！

回到很久很久以前，人們居住在洞穴裏。他們也許會從火堆中捏取一些灰燼放在手上，與水混合，然後用他們的手指或樹枝在牆壁上畫上一些符號。有時候他們會畫出一些小小的火柴人，描繪他們到處探索或者捕獵，有時他們只是在牆上印上了掌印，就像你可能印過的掌印一樣。因此這些人可能就是第一位藝術家！

30
為什麼人類會創作藝術作品？

由奧利弗‧杰弗斯作答

就是因為我們能夠創作藝術作品！其他的生物品種都為生存忙碌，但人類已演化成滿足了基本需要之餘，還有額外的時間和大腦容量去做別的事。憑着這些條件，我們便能夠思考一些重大的問題，包括我們為什麼會生存，還有我們可以如何善用我們脆弱的生命。我們需要向其他人表達出我們的思考與感受，以幫助我們找到一種社羣的歸屬感。為了那個目標，藝術創作是我們作為人的一生中最重要的一件事情。我們常常會在學習如何閱讀字詞之前便學會如何理解圖畫。我們觀看藝術品時常常會感到一些我們難以用言語表達的東西。創作藝術也可以是欣賞和創造生命中美好事物的純粹樂趣。

十二月

十二月

1
大爆炸發生在什麼時候？
與吉姆‧哈利利教授一同作答

大爆炸（The Big Bang）是一場巨大的爆炸，它形成了空間與時間，還有組成恆星、星系和行星的一切事物。很多證據顯示，這場大爆炸大約發生於138.2億年前。如果你能回到數十億年前，宇宙可能非常小，甚至可能被壓縮成一個小點。

2
為什麼大爆炸會發生？
與吉姆‧哈利利教授一同作答

科學家還在嘗試找出答案。也許你將會成為找出答案的科學家！

3
大爆炸前是怎樣的？有行星存在嗎？
與吉姆·哈利利教授一同作答

我們知道宇宙是由大爆炸產生的，但我們不知道大爆炸發生之前是怎樣的。我們甚至不知道之前是否有任何東西存在！大爆炸可能是時間本身的開端，所以在大爆炸前可能沒有時間。

有些科學家相信，大爆炸前可能有其他東西曾經存在，而大爆炸只是在云云宇宙中產生出我們所在的宇宙。其他宇宙有可能會在一個稱為多元宇宙（multiverse）的更巨大的空間中不斷冒出。那麼多元宇宙出現之前是怎樣的？嗯，我們還不清楚！

4
為什麼宇宙不斷膨脹？
與吉姆·哈利利教授一同作答

如今我們知道有一種名為暗能量（dark energy）的力量正將宇宙中的一切推開，並令太空伸展，不過我們還未知道暗能量是什麼！科學家正建造巨型的天文望遠鏡來幫助我們進一步了解暗能量，讓我們能夠解釋為什麼暗能量會令宇宙膨脹。

科學家知道宇宙正在不斷膨脹，因為當他們透過天文望遠鏡觀察時，會發現遙遠的星系變得越來越遠。

5
第一種運動是什麼？

我們不可能知道確切的答案，不過有兩種運動似乎比其他的運動存在了更長的時間——跑步和摔跤。在法國的拉斯科（Lascaux），有一些大約在15,000至17,000年前創作的洞窟壁畫，描繪了人們正在參與這兩種運動。除此之外，射箭、游泳和某種原始的相撲摔角也是早期運動。

公元前776年，第一次有紀錄的古代奧運會只有一項比賽項目——賽跑。勝出者是一位廚師，他也是麵包師傅和運動員，名叫科羅埃布斯（Coroebus）。他在這項全長192米、稱為斯塔德（the stadion）的賽事中勝出，成為了第一位奧運冠軍。他的獎品？一根橄欖枝！

6

為什麼犰狳有小小的頭部和大大的屁股？

犰狳主要吃昆蟲，因此牠們的頭部要夠小，以便在狹窄的洞穴中到處翻找。犰狳大約有20個品種，牠們看起來都相當不同，不過牠們的身體都會被天然的盔甲覆蓋，以保護自己。

最小的犰狳名叫倭犰狳（pink fairy armadillo），牠有點兒像一隻小小的、毛茸茸的白老鼠，背上有一個粉紅色的外殼覆蓋着。

巨犰狳（giant armadillo）擁有大量牙齒──比任何哺乳類動物的牙齒都要，還能夠長至1.2米長！

7

為什麼企鵝不會生活在北極，北極熊不會生活在南極？

北極熊生活在位於北極點附近的北極（Arctic），而大部分企鵝生活在南極點附近的南極大陸（Antarctica）和周邊的地區。牠們生活在地球相對的兩端，在野外環境中從未碰面──對牠們來說要前往對方的居所實在太遠了！

你知道嗎？北極的英語「Arctic」源自希臘文的「熊」，而南極的英語「Antarctic」意思是「沒有熊」。不過希臘人所說的並不是真實的熊！他們所指的是一個星座（組成特定形狀的一組星星），稱為大熊座（Ursa Major），你通常只能在北半球看見它。

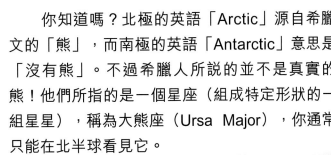

8
怎樣可以知道你不是
身處夢境之中？

與大衛．伊格爾曼一同作答

簡短而言，答案是我們沒辦法確定。2,300年前，中國哲學家莊子夢見自己是一隻蝴蝶。當他醒過來後，他沉思這個問題：「如今我怎麼能知道我是夢見自己是蝴蝶的莊子，還是我是一隻蝴蝶，夢見自己是個名叫莊子的人？」夢境也許足以證明，要愚弄大腦讓它相信自己身處何方，其實並不需要花費太多工夫。

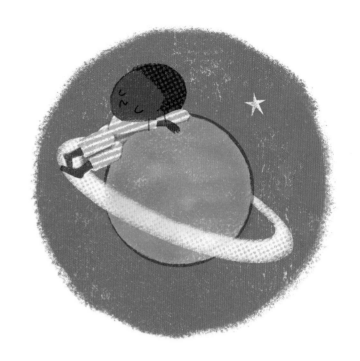

9
為什麼你在晚上會
覺得又睏又餓？

你的腦部會告訴你的身體什麼時候要醒來，什麼時候要睡覺，和時鐘有點兒相似。在夜間，你的腦部會告訴你是時候上牀睡覺了，因為天已經黑了。如果你在睡覺時感到肚子餓，可能是白天沒有吃到足夠美味、健康的食物呢。

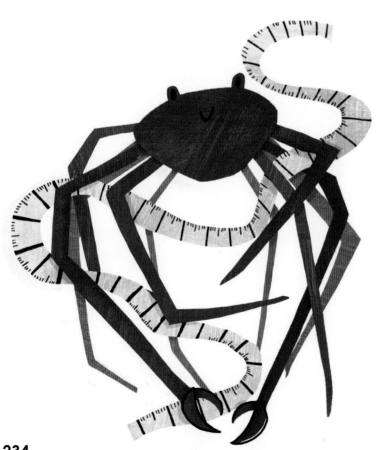

10
螃蟹能長到多大？

陸上最大的螃蟹是椰子蟹。按爪子到爪子之間的距離量度，牠們能成長至最多1米寬。而海洋裏最大的螃蟹是日本蜘蛛蟹。牠們爪子與爪子之間寬達5.5米，那幾乎等同一隻長頸鹿的身高！

11
為什麼小鴨子那麼快
便能學會游泳？

小鴨子孵化時，牠們只會留在巢裏10小時，然後便跟着媽媽出發，去上牠們的第一堂游泳課！牠們必須非常迅速地學會如何游泳與飛行，好讓牠們能避開捕獵者，並學會捕捉自己的獵物。

12
為什麼劃蝽
不會沉進水裏？

劃蝽（water boatmen）是一種細小的昆蟲，能夠在水面上滑行而不會沉沒。這是因為它們的腿上布滿數以千計的微小毛髮。這些毛髮上有一絲絲的紋路，能夠困住空氣，那有點像許多個極小的水袖協助劃蝽的腿浮在水上！

13
為什麼灰燼盃只有
英格蘭和澳洲參加？
什麼是灰燼盃？

與米高·霍爾丁一同作答

灰燼盃（The Ashes）板球巡迴賽始於1882年，當時澳洲板球隊第一次在板球對抗賽中戰勝了英格蘭。一份報章刊登了一篇虛構的文章，戲稱英格蘭的板球已死，而來自其遺體的灰燼將會被帶到澳洲。其實裝在獎盃裏的灰燼不是人類的骨灰，而是焚燒板球三柱門中的橫木所產生的灰燼。現在，只有英格蘭和澳洲會在這項巡迴賽中對戰。

14
為什麼自從阿波羅17號任務之後再沒有人類登陸月球？

在1969至1972年間，共有12個太空人在阿波羅計劃的太空任務中登上月球漫步。尤金‧塞爾南（Eugene Cernan）於1972年成為最後一個登陸月球的人類，之後美國太空總署NASA便中止了阿波羅計劃。前往月球的成本非常高昂，而NASA已成功完成這項挑戰，因此他們決定研究其他概念。

自人類第一次登陸月球以來，已經超過50年了，因此NASA正計劃在不久的將來重返月球。他們希望讓一個名叫月球門戶（the Gateway）的太空站圍繞月球運轉，讓未來的太空人能夠用作中途站，之後再出發前往太空更遙遠的地方！

15
太空人曾見過聖誕老人嗎？

沒錯！1965年12月15日，太空船雙子星6號（Gemini VI）和雙子星7號（Gemini VII）正返回地球，當太空人望向窗外，他們看見一些非常神奇的東西。雙子星6號當時呼叫雙子星7號，並說：「我們發現了一件物體，看見一個人造衞星從北向南飛行，可能位於繞極軌道（polar orbit）上。」他們聲稱，他們看見了聖誕老人帶着8頭馴鹿拉着他的雪橇！也許聖誕老人正為平安夜練習——那是他一年裏最忙碌的一個晚上呢。

太空人曾利用他們偷偷帶上太空船的小型口琴和馬鈴演奏《聖誕鈴聲》（Jingle Bell）。《聖誕鈴聲》是人類在太空裏第一首演奏的歌曲！

16
你的身體怎樣傳送問題
給腦部？你的腦部又如何
將信息傳回身體？

與大衛．伊格爾曼一同作答

脊髓看起來像是從腦部伸延出來的長尾巴，它是一捆數量達百萬計的長細胞，稱為神經。腦部會沿着這些細胞傳送信息。有些神經會離開腦部，而有些則返回腦部，讓身體與腦部能夠互傳信息。要移動你的手臂，腦部會向下傳送信息。如果你用指尖碰過某些東西，你的皮膚會偵測到振動、痛楚和溫度等信息，並將信號往上傳送回你的腦部去。

17
為什麼手臂和雙腿發麻時
會如此刺痛？

如果你將大量壓力施加在身體某一處，你可能會捏痛那裏的神經。當這情況發生時，你的腦部並不能得到多少來自神經的信息，而神經得到的血液亦沒那麼多。當壓力解除後，神經突然將大量信息傳回腦部，而血液亦會湧回曾受壓的身體部位。那種刺痛的感覺代表那個身體部位重新活過來了。

18
為什麼我們會砍下大樹並裝飾它們來慶祝聖誕節？

在歐洲，冷杉樹（fir）用於慶祝冬季節日已有數千年歷史。在16世紀的德國，一家人會用蠟燭裝飾冷杉樹。後來，他們改用薑餅、糖果、紙製裝飾品，還有被黃金覆蓋的蘋果來裝飾，玻璃工匠也開始製作聖誕裝飾球。這些德國傳統在英王佐治三世（King George III）與來自德國的夏洛特公主（Princess Charlotte）結婚時來到英格蘭。夏洛特公主熱愛聖誕樹，因此她為兒童舉辦了一場盛大的派對，並裝飾了一棵大樹來懷緬自己的家鄉。後來，大家都想擁有自己的聖誕樹，而這項傳統便傳揚開去了！

19
聖誕樹在聖誕節過後會怎樣？

許多聖誕樹在聖誕節過後會被循環再造，或另作他用。在德國柏林，聖誕樹商販會將未能售出的聖誕樹送給動物園，給園內的動物食用。

一頭大象能夠吃掉5棵聖誕樹來做午餐！

20
為什麼冬青長有尖刺？

在冬青樹叢上，靠近樹叢下方的葉子，也就是動物可能吃掉的部分，長有特別多尖刺。而高處，遠離動物接觸的地方，葉子便沒那麼多刺。專家認為冬青長有尖刺是為了保護自己，好讓葉子不會被動物吃掉！

21
是不是所有雪花都有不同的形狀？

沒有任何兩片雪花是相同，這種想法來自美國一名農夫，名叫威爾遜‧「雪花」‧本特利（Wilson「Snowflake」Bentley）。他是第一個近距離拍攝雪花的人。他拍攝了5,381片雪花，每一片的樣子都不同。1公升雪之中大約有100萬片雪花，但雪已存在了數十億年，因此可能有一些雪花很相似，但看見兩片相同的雪花機會渺茫！

22
馴鹿能在黑暗中看東西，
是因為他們喜歡紅蘿蔔嗎？

你可能會在平安夜準備一些紅蘿蔔，送給聖誕老人的馴鹿，不過幫助馴鹿在黑暗中看東西的其實並不是紅蘿蔔。馴鹿能夠看見一種名叫紫外光的光線，有助牠們在黑暗中尋找方向！不過馴鹿確實喜愛脆脆的紅蘿蔔！

23
聖誕爆竹是誰發明的？

一個名叫湯姆·史密斯（Tom Smith）的英國糖果匠大約於170年前發明了聖誕爆竹。傳說中他是因為壁爐的木柴劈啪作響，獲得聖誕爆竹發出爆裂聲「嘭」的靈感！

24
聖誕夫人能不能幫
聖誕老人找出誰是
頑皮的孩子？

由尼爾‧蓋曼作答

對，她能夠做到，而且她也確實負責這項工作，不過關於聖誕夫人，她顯然比聖誕老人心腸軟得多。

聖誕老人非常忙碌。他要經營超大型的玩具工廠，他也要統籌一次瘋狂的狂歡之旅，在一個晚上派送禮物到世界各地。他不想將注意力花在決定孩子是否頑皮或乖巧上──他將這項工作留給聖誕夫人。聖誕夫人是個老好人，因此即使你很頑皮，她也可能不會像聖誕老人一般給你可怕的黑色記號。她很可能會說：「哎呀，他們乖巧比頑皮的時候多呀，任何頑皮的行徑都可以獲得原諒，因為它們太棒了！」那就是為什麼聖誕老人最終沒有給壞孩子送上煤炭作禮物。

我喜歡想像那是因為聖誕夫人是個善良的人。當然，小精靈會說，那是因為聖誕夫人不喜歡聖誕老人運送一堆堆的煤炭，那會帶來的份量驚人的清潔工作。在古時候，要運送的煤炭多達數百萬堆！馴鹿也累壞了。聖誕老人回家時會因為渾身煤灰而變得黑漆漆的。聖誕夫人要花上數個月來清洗他的衣物，重現雪白與鮮紅的色彩。還有聖誕老人的鬍子──她喜歡鬍子是潔白的！無論如何，那是小精靈說的，不過我不相信。我認為聖誕夫人是個心腸軟的人！

25
誰製造出第一個降落傘？

製造出降落傘並成功跳傘的第一個人，就是路易—塞巴斯蒂安·勒諾爾芒（Louis-Sébastien Lenormand）。他最初曾拿着兩把雨傘從樹上跳下來，進行實驗！在1783年12月，他製作出一個直徑為4.3米的降落傘，並從一幢名叫蒙彼利埃天文台（Montpellier Observatory）的建築物屋頂上跳下來，並在數秒後安全降落。他將自己的發明稱為le parachute，這源自法文詞語para，意思是「保護」；chute，意思是「下跌」。降落傘此後經過大幅改良，變得更安全。它們甚至曾用於幫助太空船在火星上降落！

文藝復興大師達文西（Leonardo da Vinci）在15世紀首次畫出一個降落傘，但他的設計直到很多年後，才被製作和測試。

26
為什麼雞蛋掉在地上會破掉？

蛋殼輕盈卻堅固，以保護在蛋內生長的小雞。蛋殼是由碳酸鈣（calcium carbonate）製成，那與構成珍珠的成分相同。當一顆雞蛋掉落，它會高速跌落，着地時，一股來自地面的強大力量會向上推擠。這股力量太大，蛋殼無法承受，因此「啪啦」——它裂開了！

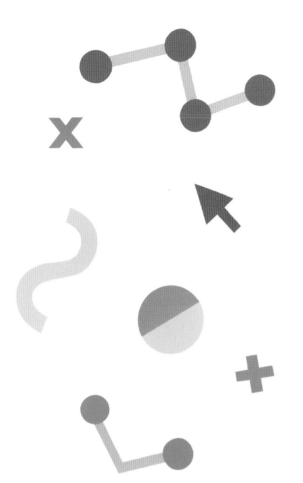

27
人類怎樣變得如此聰明？
與朱莉婭‧高爾韋一威瑟姆一同作答

大約300萬年前，我們的祖先學會了如何用石頭製作工具。當他們製作出更精良的工具後，他們變成了更出色的獵人。進食更多肉類可能令他們得到額外的能量，長出越來越大的腦部——這是與他們的身體大小相較而言。比腦部大小更重要的是腦部不同的部分互相連結。又過了一段時間，人類發明出不少科技，意味着我們能靠智慧做到更多事情，例如電腦能夠處理的資訊比我們單靠腦袋處理的要多得多。

28
世界上最大的畫作是什麼？

世界上最大的畫作是一幅佛祖釋迦牟尼的畫像。它的面積達12,086平方米！藝術家洪啟嵩在佛祖的心臟處加上黃金，希望世界各地的人能互相連結。洪啟嵩是在阿富汗的古佛像巴米揚大佛因戰火受破壞後創作的這幅畫作，他想提醒人們佛祖關於和平的教導。

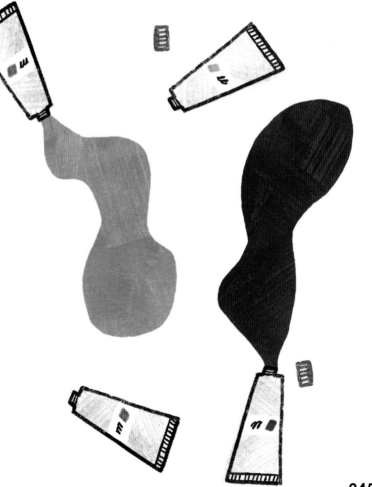

29

為什麼有些動物是冷血的，有些是溫血的？

與凱蒂・托馬斯博士一同作答

冷血動物，例如青蛙、蛇、魚、昆蟲、蚯蚓和蜘蛛等，無法自行產生體熱。溫血動物，例如哺乳類動物和鳥類能夠自行產生體熱，並且有辦法控制自己的體溫。要令你的身體溫暖起來需要花很多工夫，因此雖然溫血動物能生活在較冷的地方，牠們也需要比冷血動物進食更多食物，而在野外尋找食物也是很艱難的工作呢。

大部分魚類是冷血的，不過有一種名叫 opah 的魚類能保持體溫比周遭的水溫高5度——牠是迄今唯一被人發現的溫血魚類。

30

為什麼爬蟲類動物那麼怕人？

與保羅・維斯卡爾迪一同作答

這涉及幾個原因。最主要的是爬蟲類動物非常美味，身為一隻友善的爬蟲類動物在野外可能致命！不過爬蟲類動物也許比其他美味的動物例如老鼠等更怕人，因為牠們是冷血動物。這代表牠們需要時間熱身，才能準備好逃離捕食者，而這令牠較難展現好奇心。另外，與爬蟲類動物不同，哺乳類動物和鳥類會在父母和兄弟姐妹陪伴下成長，因此牠們慣於與其他同伴友善地交往。

31
為什麼有些人會在除夕唱
Auld Lang Syne？
那是什麼意思？

全球各地許多人都會在除夕唱 *Auld Lang Syne*（友誼萬歲），不過這首歌從何而來？*Auld Lang Syne* 的意思是「為了舊時光」，歌詞則來自一首非常古老的詩歌。沒有人知道最初是誰創作這首詩歌，但蘇格蘭詩人羅伯特・伯恩斯（Robert Burns）令它變得膾炙人口。他曾聽一位老人唱過這首歌，並在1788年將它寫下來。

這首歌成為了蘇格蘭人每年除夕時唱誦的傳統歌曲，而移居到美國和其他地方的蘇格蘭人保持了唱這首歌的傳統。

不過，它成為了廣受歡迎的除夕歌曲，是因為加拿大歌手蓋伊・隆巴爾多（Guy Lombardo），他曾在1929年紐約市一間大型酒店裏演唱這首歌曲。所有人都非常喜歡它，他之後30年裏每年除夕都在同一間酒店裏演唱這首歌曲，而這首歌曲便從此流傳各地！

不是所有人都會在除夕唱這首歌，而且不同的文化會使用同一首樂曲來代表不同的意思。在日本，當商店準備關門時便會播放這首歌曲，讓顧客知道是時候離開了。這首歌曲也曾經是馬爾代夫的國歌。

下一站，你的好奇心會帶你到哪裏去呢？

如果讀完這本書你對周遭的世界變得更好奇，這裏還有一些你可以嘗試的事情，可以讓你對萬事萬物了解得更多……

最好的做法就是跟從你自己的好奇心！在這個世界上，不同的人對不同的事物感興趣，你也有自己喜愛和想要深入研究的東西吧。你可以參考下面的提議來展開探索！

先從簡單的做起，你可以放慢步伐，看看周遭的世界。花點時間看看瓢蟲如何慢慢爬過你的手指，數一數牠身上有多少顆斑點。抬頭看看風吹過樹梢，望望天空中的太陽，沉浸其中。

你可以到訪天文台，學習關於恆星及宇宙的知識，你甚至可能有機會透過望遠鏡親眼看一看。

動物園、農場、公園和鳥類保育區都是近距離觀察動物的好地方。你也許能學會如何幫忙保護瀕危物種呢。

圖書館是美妙的地方，書本能解答你的好奇提問。如果你不確定你想看哪本書，你可以問問圖書館管理員，他們能夠幫助你。

如果你有幸去別的地方旅行，你將了解到世界上其他地方的人們怎樣生活，那可能是一場精彩的冒險呢。

你也可以從身邊的人和學校裏的朋友身上學習到許多東西。聊聊他們近來生活如何，問問他們在忙什麼。當你接觸到新的事物時，你的世界也會變得更寬廣，更有趣。

莫莉·奧德菲爾德
(Molly Oldfield)

莫莉·奧德菲爾德(Molly Oldfield)是回答世界各地兒童提問的網絡廣播節目 *Everything Under the Sun*的主持人。這個節目的目標，是確保沒有任何兒童的好奇心或提問不獲回應！在育有自己的孩子前，莫莉曾參與廣受歡迎的電視節目QI第一、第二季的製作，她探究了在節目中出現的各種非比尋常的問題——她被稱為元祖小精靈！莫莉也是 *The Secret Museum*、*Wonders of the World's Museum*及*Natural Wonders of the World* 等著作的作者。她也是兩個小孩的媽媽，熱愛和家人一起探險。

要了解更多關於這個網絡廣播節目的資料，包括如何收聽及如何傳送你的提問，請瀏覽以下網址：

www.mollyoldfield.com/everythingunderthesun

鳴謝

這些專家、藝術家、詩人和思想家曾協助莫莉回答書中的提問。在此向他們每一位表示衷心的感謝。

喬納森·阿布利特（Jonathan Ablett）
倫敦自然歷史博物館資深策展人

吉姆·哈利利教授（Professor Jim Al-Khalili）
理論物理學家、作家及廣播節目主持人

杰克·阿什比（Jack Ashby）
作者及動物學家

斯圖爾特·阿特金森（Stuart Atkinson）
天文學作家

保羅·巴雷特教授（Professor Paul Barrett）
倫敦自然歷史博物館研究員

亞歷克斯·貝洛（Alex Bellos）
作家及廣播節目主持人

羅布·比達爾夫（Rob Biddulph）
作家及插畫家

羅布·布萊克（Rob Blake）
愛丁堡皇家天文台天文學家

赫斯頓·布魯門撒爾（Heston Blumenthal）
米芝蓮三星主廚、Fat Duck餐廳東主、podcast廣播節目 Heston's Journey to the Centre of Food主持人

亞歷克斯·邦德（Dr Alex Bond）
倫敦自然歷史博物館資深策展人

理查德·布蘭森爵士（Sir Richard Branson）
環球企業家、冒險家、維珍集團創辦人

戈登·布坎南（Gordon Buchanan）
野生生物攝影師、主持人及公開演說家

大衛·巴頓博士（Dr David Button）
倫敦自然歷史博物館

艾倫·卡農（Alan Canon）
洞穴研究基金會

利諾·卡爾博謝羅（Lino Carbosiero MBE）
著名髮型師

尼克・卡魯索（Nick Caruso）
弗吉尼亞理工學院魚類及野生生物保育系博士後研究員

克里斯・奇蒂克（Chris Chittick）
追風者

哈里・克利夫博士（Dr Harry Cliff）
劍橋大學粒子物理學家

蓋伊・孔索爾馬尼奧修士
（Brother Guy Consolmagno）
梵蒂岡天文台總監

鱷魚阿祖（Crocodile Joe）
爬蟲類動物發燒友

尼克・克倫普頓博士（Dr Nick Crumpton）
動物學家

海倫・切爾斯基（Helen Czerski）
倫敦大學學院物理學家

艾麗斯・丹瑟（Alice Dancer）
倫敦皇家獸醫學院博士生

李・戴維斯（Lee Davies）
倫敦皇家植物園邱園真菌標本館策展人

埃米・戴維（Amy Davy）
科學博物館導賞策劃員

薇姬・道森（Vicki Dawson）
睡眠慈善基金創辦人及行政總監

阿爾夫・達布斯爵士（Lord Alf Dubs）
政治家、難民社運運動家

馬庫斯・杜索托伊（Marcus du Sautoy）
牛津大學數學家

大衛・伊格爾曼（David Eagleman）
神經科學家及作家

阿比・埃爾芬斯通（Abi Elphinstone）
兒童書籍作家

杰斯・埃文斯（Jess Evans）
英國國民信託首席園藝師

查爾斯・費尼霍教授
（Professor Charles Fernyhough）
杜倫大學心理學家及作家

歐文・芬克爾博士（Dr Irving Finkel）
倫敦大英博物館資深策展人

瑪麗娜・福格爾（Marina Fogle）
作家、記者、The Bump Class創辦人及
The Parent Hood Podcast監製

艾麗斯・福勒（Alys Fowler）
園藝專家及記者

尼爾・蓋曼（Neil Gaiman）
《紐約時報》暢銷得獎作家

朱莉・高爾韋─威瑟姆（Julia Galway-Witham）
古人類學家

丹尼爾・喬治教授（Professor Danielle George）
曼徹斯特大學無線電波頻率工程系教授

詩人喬治（George the Poet）
口語藝術家、詩人、饒舌歌手及Podcast廣播節目主持人

喬・格羅塞爾（Joe Grosel）
鳥類專家及生態學家

詹姆斯・哈金（James Harkin）
Podcast廣播節目主持人、電視主播及電視節目撰稿人

菲利普・霍爾教授（Professor Philip Hoare）
作家及南安普敦大學創意寫作教授

米高・霍爾丁（Michael Holding）
板球評述員及前西印度板球選手

基拉・亨特醫生（Dr Chiara Hunt）
醫生及The Bump Class創辦人

蘇濟・海德（Suzi Hyde）
倫敦動物學會高級動物園管理員

奧利弗・杰弗斯（Oliver Jeffers）
藝術家、插畫家及作家

埃瑪・凱勒博士（Dr Emma Keller）
英國世界自然基金會（WWF）食物商品主席

桑德拉・納普博士（Dr Sandra Knapp）
倫敦自然歷史博物館研究員

貝拉・拉克（Bella Lack）
青年保育人士及社會運動家

伊莎貝爾・蘭姆（Isabel Lamb）
The Little Grand Tour 創辦人

塔拉・李（Tara Lee）
瑜伽導師

卡倫・萊騰（Karen Letten）
蘇格蘭林地信託基金會

西蒙・洛德博士（Dr Simon Loader）
倫敦自然歷史博物館首席策展人

詹姆斯・麥克萊恩（James Maclaine）
倫敦自然歷史博物館資深策展人

凱特・馬丁（Kate Martin）
英國國民信託海岸官員

羅伯托・波特拉・米格斯（Roberto Portela Miguez）
倫敦自然歷史博物館資深策展人

道格・米勒德（Doug Millard）
科學博物館副策展人

約翰・米欽森（John Mitchinson）
作家、出版人及廣播節目主持人

威爾・牛頓（Will Newton）
倫敦V&A兒童博物館

艾登・奧漢隆（Aidan O' Hanlon）
愛爾蘭國家博物館自然歷史館昆蟲學家

特拉維斯・帕克（Travis Park）
倫敦自然歷史博物館古生物學家

菲莉帕・佩里（Philippa Perry）
作家及心理治療師

阿拉斯代爾・平克頓（Alasdair Pinkerton）
英國倫敦大學皇家哈洛威學院地緣政治學準教授、政治家

賈斯廷・波拉德（Justin Pollard）
歷史學家、作家及電視製作人

瑪麗亞・波波娃（Maria Popova）
作家

加文・普雷托爾─平尼（Gavin Pretor-Pinne）
賞雲協會創辦人

尼克・羅斯（Nick Ross）
Art History Abroad總監

薩拉・羅素教授（Professor Sara Russell）
倫敦自然歷史博物館研究員

亞當・拉瑟福德（Dr Adam Rutherford）
科學家、作家及廣播節目主持人

羅布・瑞安（Rob Ryan）
藝術家

理查德・薩賓（Richard Sabin）
倫敦自然歷史博物館首席策展人

凱瑟琳・桑斯特博士（Dr Catherine Sangster）
牛津大學字典發音主席

杰克・薩沃雷蒂（Jack Savoretti）
音樂人

海倫・斯凱爾斯（Helen Scales）
海洋生物學家、作家及廣播節目主持人

丹・施賴伯（Dan Schreiber）
作家、製作人、喜劇演員、電視主播及Podcast主持人

皮帕・斯莫爾（Pippa Small）
珠寶商

蒂姆・斯米特爵士（Sir Tim Smit）
康沃爾伊甸計劃行政副主席及創辦人

丹・斯諾（Dan Snow）
歷史學家及電視主播

喬治娜・史蒂文斯（Georgina Stevens）
作家及環保運動家

克洛弗・斯特勞德（Clover Stroud）
作家及記者

鐵達尼號紀念館（Titanic Belfast）
北愛爾蘭鐵達尼號訪客體驗館

凱蒂・托馬斯博士（Dr Katie Thomas）
倫敦自然歷史博物館博士後研究員

西蒙・圖默（Simon Toomer）
英國國民信託植物保育國家專家

克里斯・范圖勒肯醫生（Dr Chris van Tulleken）
醫生及電視主播

保羅・維斯卡爾迪（Paolo Viscardi）
愛爾蘭國家博物館動物學館長

克里斯蒂安・沃爾辛（Kristian Volsing）
倫敦維多利亞與亞伯特博物館計劃策展人

賈森・沃德（Jason Ward）
自然學家、鳥類專家及保育人士

本杰明・澤弗奈亞教授
（Professor Benjamin Zephaniah）
詩人及作家

251

藝術家

感謝這些才華洋溢的藝術家，為書頁創作插畫，令這本書誕生！
現在他們就在這裏，來看看他們說了些什麼吧！

阿部桃子（Momoko Abe）

我來自日本一個小城鎮，如今生活在英國南倫敦。我最喜歡畫的東西是蛋糕和貓。我最享受為「誰發明了文字？發明者又書寫了什麼東西？」和「世界上第一間圖書館是哪一間？」這兩條問題（pp.84-85）繪畫插畫。

艾麗斯・考特利（Alice Courtley）

我來自英國倫敦，如今生活在英國劍橋。我最喜歡畫的東西是貓，不過我非常享受為這本書繪畫鎚頭鯊！（p.153）我也喜歡為「為什麼樹木很重要？」這條問題繪畫插畫，因為那提醒了我樹木有多厲害。（p.67）

凱爾茜・巴澤爾（Kelsey Buzzell）

我來自美國俄勒岡。動物是我最愛畫的東西！有許多不同的動物可以選擇（不論是真實的還是幻想世界中的動物）。我喜歡繪畫，還明白了為什麼會出現大蒜味的口氣！（p.13）

桑德拉・德拉普拉達（Sandra de la Prada）

我來自西班牙巴塞隆拿。我最喜歡畫的是怪獸！我喜歡畫這本書中的水魚。我之前並不知道其實不是牠「真正」的形狀！（p.60）

貝亞特里切・切羅基（Beatrice Cerocchi）

我來自意大利羅馬，我在這裏居住和工作。我最愛的繪畫對象是我最愛的城市──羅馬！我愛畫古老的建築物，不過我也覺得畫商店櫥窗很有趣，因為那讓我有機會畫許多不同的東西。我非常享受繪畫本書中鯨魚和鸚鵡魚的場景，因為我喜歡想像海底的生命。（p.165）

格雷斯・伊斯頓（Grace Easton）

我來自英國聖奧爾本斯（St Albans），現在居住在英國倫敦。我最喜歡畫的是臉孔。這本書中我最享受繪畫的插畫是關於樹熊寶寶會吃大便一般的軟食！太嘔心了！（p.86）

曼紐拉·蒙托亞·埃斯科巴爾
（Manuela Montoya Escobar）
我是哥倫比亞人，如今生活在西班牙的巴塞隆拿。
我最喜歡畫的東西是動物和蘑菇。我非常享受繪畫「為
什麼昆蟲會受黃色的衣物吸引？」這條問題的插畫。
（p.42）

格温·米爾沃德（Gwen Millward）
我來自英國威爾斯，如今生活在英國的布里斯
托。我最喜歡畫的東西是蟲子、樹木和人。我最享受
繪畫「亞馬遜雨林裏有多少植物生長？」（p.177）
和「為什麼瓢蟲身上有圓點？」（p.54）這兩條問題
的插畫。

理查德·瓊斯（Richard Jones）
我在英國西米德蘭茲郡出生，不過人生大部分時間
都在英國德文郡的青翠山巒中度過。我最喜歡畫的是戴
着圍巾的小狗。這本書中我最喜歡繪畫的插圖是關於那
些美麗的小臭鼩的——地球上最細小的哺乳類動物，擁
有閃電般快速的心跳！（p.154）

薩利·馬拉尼（Sally Mullaney）
我來自英國！我在一個名叫斯托克波特（Stockport）
的小鎮長大，那兒出產的帽子最有名。我最喜歡畫的，是
那些不知道我正在畫他們的人。我最享受繪畫世界上數十
億隻兔子中的其中5隻！（p.201）也許我有朝一日會嘗試
畫出全部的兔子！

莉薩·科斯特克（Lisa Koesterke）
我在德國出生，在澳洲長大。我最喜歡畫的是水
果和蔬菜。我最享受繪畫「太空人如何在黑暗中看東
西？」這條問題的插圖。那是我原本不知道的事情，
太空真是有趣又刺激！（p.183）

勞里·斯坦斯菲爾德（Laurie Stansfield）
我來自英國牛津，如今居住在英國布里斯托。我
最喜歡畫的東西是鱷魚！我喜歡為這本書繪畫的許多
插圖，同時學習了很多知識！我最喜歡繪畫的內容是
「靈感是從何而來的？」（pp.186-187）我在繪畫和
跑步時會得到靈感。在這兩頁裏，我想要畫出靈感是
神奇的、真正的魔法！

小朋友

特別感謝所有曾為這本書發來好奇提問的小朋友！

Beatrix，5歲
Arlo，2歲
Isabelle，8.5歲
Fyfe，4歲
Darcey，3歲
Alexandra，3歲
Alfred，6歲
Ollie，5歲
Ben，3歲
Archie，7歲
Alayna，7歲
Elijah，7歲
Beatrice，8歲
Henry，6歲
Ralph，8歲
Theo，3歲
Arthur，6歲
Ithaca，4歲
Lola，6歲
Lily，5歲
Jude，3歲
Bee，11歲
Arlo，7歲
Olivia，4歲
Sofie，8歲
Joanna，6歲
Ethan，3歲
Martha，7歲
Dexter，5歲
Julia，9歲
Ted，6歲
Munashe，8歲
Zori，6歲
博爾頓小學3年級生

Jagoda，11歲
Otis，8歲
Tommi，5歲
Benjamin，8歲
Seraphina，6歲
Linus，7歲
Olivia，6歲
Tabitha，9歲
Esmeralda，10歲
Violet，9歲
Benji，6歲
Marcus，3歲
Lucas，7歲
Maya，6歲
Faye，4歲
Felicity，10歲
Ahmad，4歲
Fynn，7歲
Wilbur，4歲
Reuben，5歲
Benjamin，4歲
Scarlet，8歲
Oscar，8歲
Iris，6歲
Allie，8歲
Ray，8歲
Eleanor，11歲
Harry，9歲
Catrin，10歲
Eashan，7歲
Millen，9歲
Sophia，7歲
Molly，5歲
Svit，6歲
Sarah，6歲

Douglas，4.5歲
Sophia，10歲
Rose，7歲
Arella，7歲
Lucas，4歲
Sonny，4歲
Bonnie，7歲
Louie，10歲
Isaac，7歲
Tara，6歲
Chloë，4歲
Maggie，6歲
Isabella，8歲
Sofia，6歲
Sophia，10歲
Christopher，7歲
Sidney，6歲
Herb，2歲
Nihal，7歲
Rory，7歲
Max，5歲
Archibald，4.5歲
Gibran，7歲
Isobel，8歲
Alice，5歲
Elodie，7歲
Madeleine，4歲
Clara，4歲
Magnus，6歲
Alice，6歲
Benjamin，2歲
Grace，3歲
Cooper，7歲
Camryn，4歲

Sky，16歲
Cosmo，18歲
Millie，9歲
Rose，7歲
Molly，5歲
Svit，6歲
Sarah，6歲
Douglas，4.5歲
Sophia，10歲
Rose，7歲
Arella，7歲
Lucas，4歲
Wilf，4歲
Lila，5歲
Tessa，8歲
James，6歲
Mateo，5歲
Charlie，9歲
Hayden，7歲
Harrison，4歲
Walter，6歲
Alisa，6歲
Aoife，8歲
Lachlan，5歲
Blaise，8歲
Dragon，5歲
Quinn，6歲
Paisley，4歲
George
Shivane，7歲
Annabel，7歲
Orla，5歲
Daisy，8歲
Evey，6歲
Joseph，8歲
Matthew，6歲
Oscar，6歲
Charlotte，6歲
Charlotte和Aaron

Zein，5歲
Alena，7歲
Beth，6歲
Honor，11歲
Francesca（Chessie）
Jemima
Verity
Iris，5歲
Robert，4歲
Ned，6歲
Caspian，5歲
Diah，10歲
Rose，10歲
Arya，6歲
Ada，8歲
Sophia，7歲
Alex，4歲
Romily，7歲
Oscar，5歲
Elkie，9歲
Alice，7歲
Cecilie，10歲
Cleo，3歲
Ivy，6歲
Dorothy，5歲
Evelyn，7歲
George，5歲
Reuben，8歲
Leo，5歲
Arthur，6歲
Martha 和 Heidi
Jessica，8歲
Alice，8歲
Dora，7歲
Iris，5歲
Mia，3歲
Aureliana，5歲
Abbie
Annabel，5歲
Rex，4歲
Sam，7歲

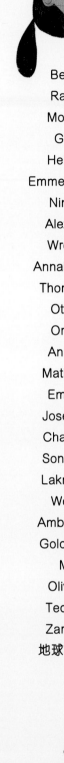

Ben，5歲
Ray，9歲
Molly，8歲
Gil，6歲
Heidi，8歲
Emmeline，5.5歲
Nina，3歲
Alexis，7歲
Wren，5歲
Annabelle，5歲
Thomas，8歲
Otto，4歲
Orla，4歲
Anna，4歲
Matilda，6歲
Emily，9歲
Joseph，7歲
Charlie，7歲
Sonalie，8歲
Lakmé，6歲
Wolf，4歲
Ambrose，5歲
Goldie，4.5歲
Matilda
Olivia，6歲
Teddy，6歲
Zarina，8歲
地球小學6年級